心服・幸福

序

從「看見自己」下手

文／黃翠吟（泰山文化基金會執行長）

曾聽過一個故事：老師給小朋友一項作業，要小朋友回家採訪父母感到幸福的三件事；爸爸回答小孩說：「第一件幸福的事是睡得著覺，第二件是吃得下飯，最後是笑得出來！」小孩一聽急了，跟爸爸說：「別開玩笑了，說這麼簡單的事！」認為爸爸對他的作業太不當一回事了。

其實，這位爸爸並沒有騙孩子。小孩眼裡簡單的事，卻是大人不見得做得到的；很多人失眠、食不下嚥、笑不出來。人原本一生下來就會的平常事，卻愈活愈變得困難。

所以，禪宗大師教我們：「饑來吃飯，睏來眠。」「生活很簡單，念頭要單純，生活要回歸本然，如此而已。」可是，有多少人再努力也做不到，因為心中放不下的事太多了。

這是個優勝劣敗的世界；從小讀書乃至出社會工作，無時不為生存、不為尊嚴而努力追逐；身不由己、充滿不安，得失、計較不斷在心中翻騰，常常不知不覺地身陷其中。

所以，古聖先賢教我們進入修心的境界，在心上下功夫，往內修持。安定及滿足是無法靠外在追求或他人的肯定而獲得的；因為，「外在的」就是無法完全由自己掌控，它會失去。內外兩者並進，才有平衡，才能喘息。

曾有人請教達賴喇嘛，他的情勢如此困厄，為何還能開懷大笑？他說，懂得善用其「心」時，就會帶來很多便利；當聽到不好的事時，換個角度來看，總能看到正面的事情，心也就安了；心情祥和滿足，就能感到幸福。修行人一直在心上用功，一輩子謹慎照顧心的清淨，注意想法及念頭並予以轉換。

想法及念頭是情緒與問題的根源；所以，時時注意自己的起心動念是非常重要的事，如此才能知道苦的來源。

觀察自己的想法，才知道自己的價值認定。看看自己每天看不順眼的人、不順心的事有多少？負向的想法有多少？不高興的事情有多少？每天時時處處看念頭起滅，看見對人對事的想法評價，從中看出自己的想法模式，才知道自己是什麼樣的人。

正向或負向慣性的想法及語言，形成一個人的氣質；但自己不知不覺，也不清楚為何做事老不順利、人際上總有衝突？最後只能怪罪命也！運也！

有位講師說到她成長的故事，她要感謝先生及孩子，因為是他們促使她走上心靈成長之路。她家雖然才三口人，但以前常有衝突，都活得不快樂；有一天她猛然警醒：我就要這樣過一生嗎？因此她去上了心理成長的課程，不斷往內探索，最後領悟：每個人都是以「我」為中心，都認為需要改變的是別人、不是自己，所以她覺悟到「自己要改變！」

她的眼光不同了，開始發現兒子有很多她長期視而不見的優點，也看到自己的權威專斷及兒子承受的壓力；她變柔軟了，也看到了先生另有體貼的一面。

看見自己，決心改變，整個人生就不同了。

幸福人生只能靠自己，自我覺察、看見自己是成長的開始；改變自己，沒有吃虧，凡事回歸自己身上。

本書結集泰山文化基金會「照亮心靈講座」的演講內容，談生命的課題及心的調伏修鍊；七位名家——陳怡安、饒夢霞、陳國鎮、黃崑巖、魏渭堂、吳娟瑜、南方朔——對生命的思索與感悟，啟發我們對自己生活態度的省思，讓我們看見自己、願意改變。要對自己的生命負責，不僅要用心活出幸福，也要活出價值；自利利他、對社會有愛，這是對生命的責任。

感謝與慈濟再次合作出版心靈成長書籍。慈濟的慈善、醫療、教育與人文四大志業遍及全球，慈濟人以行動修心、以付出來調伏自我，是落實在生活中的修行。泰山文化基金會推展生命教育、心靈教育，傳播正向信念及善的價值，期勉大家往內用「心」追求美好人生，大家一起努力。

目錄

02 序 黃翠吟

07 真我的完成與修煉 陳怡安

35 談飛躍壓力與情緒調適 饒夢霞

67 心靈的制約力量 陳國鎮

99 生活與生存——談教養 黃崑巖

129 生涯發展與人際關係 魏渭堂

153 點亮自己的心燈——如何開發潛能掌握命運 吳娟瑜

181 生命之美——從詩的意境談起 南方朔

真我的完成與修煉

還我生命自由、重歸真我的行路，也正是找尋自己究極生命價值的「道」路。我們要先自問：我要在此生完成上天給我的什麼使命？或是如何利用上天給我的什麼禮物？也要反思：我可有認真地執行、利用上天給我的稟賦？當然，也得檢查：我曾下了多少工夫，修煉出我獨特的生命價值來？

⊙陳怡安（怡安管理顧問公司董事長）

在企業管理上我們發現，一個企業能撐過五年就屬不易了；那麼，那些極其難得地經營超過半個世紀、歷經疾風勁雨而仍能屹立不搖的企業，必有其生存之道。這個道理會是什麼呢？

人人自有定盤針

沒有方向感，自己不能做決定，做了這個決定又怕那個後果，於是始終得不到安定，回不了自己的本心。

《執行力》（*Execution: The Discipline of Getting Things Done*）這本書裡提到，企業策略與願景的落空，都是因為缺乏執行力。執行力就是一種令事情完成的紀律，是企業策略的根本，是企業領導人的首要工作，並且必須成為組織文化的核心部分。

日本人最注重執行力，而中國明代最著名的理學家王陽明，則是深遠地影響著近代日本，甚至可說是激起日本明治維新心靈底處的根源。

王陽明小時候，父母幾乎認定他是個智障兒，因為他到了七歲還不會說話；然而，當他十一、二歲時在京城讀書，他問塾師：「何謂第一等事？」老師說：「只有讀書獲取科舉功名。」他就正色地反駁說：「第一等事恐怕不是讀書登第，應該是讀書學做聖賢。」

王陽明的一生只有短短五十七年，卻留下了卓著的貢獻與影響，不論是在官場和民間。尤其是在學界，最受人稱頌景仰的，便是他的「觸之不動」；因為他對自己的人生極有定見，不輕易受外界影響而改變。

從前，在中國傳統社會中，士為四民之首，想當第一等人物，就必得成為讀書人；讀書人所讀為聖賢書，期以經世濟民。但王陽明認為，士、農、工、商完全平等，並無高下貴賤之分，而把傳統觀念中一直被視作「賤業」

的工商擺到與士同等的地位。王陽明在《傳習錄拾遺》即說：「雖經日作買賣，不害其為聖為賢。」

在日本被譽為「經營之神」的企業家松下幸之助，曾表明他的思想受到中國理學家的啟發，並自認他的成功來自於「產品為社會服務」的精神。他說：「我是一個商人，商人就是要經世濟民。」用現代的話來說，就是他要負起一個商人的社會責任。這觀點頗有王陽明的思想蘊涵其中。

王陽明的「觸之不動」，正是靠修煉而來。他有一首詩云：「人人自有定盤針」——每個人的內心世界自有它的羅盤，人生方向由自己決定；「萬化根源總在心」——不論如何看待宇宙萬象，詮釋的源頭都來自每個人的內心；「卻笑從前顛倒見，枝枝葉葉外邊尋。」王陽明做了一次省思，笑自己從前總往外追尋，見別人有什麼好，就盲目跟從學習；人云亦云，心自然定不下來。

人須於事上磨

人生中的所有學習，都只為了解決人生路上所遭遇的困難。

《紅樓夢》開場的兩位神仙人物癩頭和尚和跛足道人，合唱了一首「好了歌」：「世人都曉神仙好，只有功名忘不了。」人人都知道如神仙般自由自在是多麼美好的事；人若能當自己的主人，過著逍遙悠遊的生活，可就媲美神仙了啊！但就是功名這一關無法看破。「古今將相在何方，荒塚一堆草沒了。」從古至今，多少功績顯赫、不可一世的人物，而今，恐怕連他們的葬身之處都不知所蹤了。「世人都曉神仙好，只有金銀忘不了。」人人都想過著無拘無束、不受控制的生活，卻被金錢財富所奴役。「終朝只恨聚無多，及到多時眼閉了。」整天忙得不可開交，好不容易清閒下來、可過自己想過的生活時，生命卻已走到了盡頭。

「世人都曉神仙好，只有嬌妻忘不了；君生日日說恩情，君死又隨人去了。」當你活著的時候，愛人天天說「我愛你」；待你過世，她就變成別人「天上掉下來的禮物」了。愛情當然重要，但是，愛情真正的意義和人生構成了怎樣的關係？這是值得我們深思的。「世人都曉神仙好，只有兒孫忘不了」，期望子女成龍成鳳的父母，總是竭盡所能給孩子最好的，不讓孩子輸在起跑點上。「痴心父母古來多，孝順兒孫誰見了。」現代父母生得少，孩子個個受寵的程度直叫人咋舌。但是，栽培孩子就是人生的終極目的嗎？

儒家重要典籍之一《中庸》，開宗明義便說：「天命之謂性，率性之謂道，修道之謂教。」上天給我們的禮物，我們明白領受到了嗎？佛教說：「人身難得今已得。」但我們認識自己了嗎？若你已經認識了自己，那你時時刻刻活出自己了嗎？或是浪費了上天賜予我們為人的稟賦？人人都會琅琅上口「天生我材必有用」，但你善用自己了嗎？完成自己的價值了嗎？

王陽明之所以能一生都「觸之不動」，正因為他明白他要什麼——他立志「讀書學做聖賢」；何謂「聖賢」？就是日常所為都有助益於人。王陽明學習兵學，就為了保家衛國；精研儒家經典，就為了當頂天立地的人；為君忠臣，就善盡進諫之責；教導學生，就教他們致良知之道。他去平亂（宸濠之亂），沒有人懷疑他能否成功；因為，大家相信他的「觸之不動」和「致良知」的堅定心志。

王陽明臨終之際，學生圍繞在他身邊問他有何遺言，他自信而樂觀地說：「此心光明，亦復何言？」學生問他：「靜時亦覺意思好，才遇事便不同。如何？」平時，靜下來讀書時覺得心領神會；但一有境界現前，心情就變了，這該怎麼辦？王陽明回答：「是徒知靜養而不用克己工夫也。」王陽明直指原因出在「不克己」，就是你並未堅持自己的本來心志。他繼續說：「人須在事上磨，方能立得住。」不管人生路走得長或短，都必須經過人事的挑戰和磨練，不能妄想空談，才能鍛鍊言行一致的工夫。「知是行之始，行是知之成。」堅定信念，並且踏實修煉，才能完成知行合一的工夫。

至今，「知行合一」仍是我深信不移的信念。從小到大，父母花多少心思栽培我們，供我們讀了這麼多書，甚至遠赴國外深造求得更高的學識；一旦碰上境界現前、挑戰來襲時，都在在印證了：人生中的所有學習，都只為了解決人生路上所遭遇的困難。不論你多麼健康、長得多一表人才、智力多麼高、名片上印著多麼顯赫的頭銜，還是要問：這些條件能否解決你的人生問題？這就是王陽明所說的「人須在事上磨，方能立得住」。正因為立得住，所以「方能靜亦定，動亦定」，不僅安靜的時候心能定，遇上急事、大難臨頭時，心亦能得定。當然，這樣的工夫絕非一蹴可幾。

有篇網路文章說，人生如同一名手中耍著五顆球的雜耍藝人，這五顆球分別是事業、家庭、友誼、人格和健康。其中，事業這顆球是用塑膠做的，具有彈性；事業失敗就如同塑膠球掉落在地，它仍能彈回來，只要肯打拚，就能「留得青山在，不怕沒柴燒」。但其它四顆球是玻璃製的，稍一不慎落地就破了，破了就沒了。換言之，就算事業成功，若是忽視了其他四者，這樣的成功也是很脆弱易破的。

曾有位企業家來到我的辦公室，提及他在馬來西亞、上海、深圳和台灣都有工廠。聽起來，他的事業是做得如此之好，但從他臉上可看不出任何好心情。滿臉憔悴的他表示，他電腦不會可以學，經營問題可找專家解決，唯獨沒辦法處理好家人間的關係；他用功地博覽群書，用心地經營自己，還以許多的座右銘自勉，但還是沒能解決自己的問題。

這樣才智兼備的人，能搞定一大片事業，卻搞不定一個小小的家啊！還好他懂得對外求援，否則，很多人過不了這一關，就因為找不到自己而尋短。

認清社會價值

我們都是被環境所塑造，被外界的資訊刺激所影響；要回歸真我，就得從矛盾衝突的社會價值中跳脫並超越出來。

「人身難得今已得」，這是多麼難能可貴，但為何仍有那麼多悲劇產生？就是受困於人生這個非由自己回答不可的難題——我是誰？

文壇奇才徐志摩曾翻譯《浮士德》作者歌德的一首四行詩：「誰不曾和著悲哀吞他的飯？誰不曾在淒涼的深夜，愴心的，獨自偎著他的枕衾幽嘆——偉大的神明啊，他不認識你。」漫漫人生過程中，有誰不曾被神明——也是自己的生命深處——不期然地提問：「我是誰呀？」「我到底要什麼？」或者「我應該如何活才能不愧此生？」

人生要面對許許多多的無常，人人都會碰見。我們常祝福別人「心想事成」，這真是一句瀰天大謊啊！人生哪有一帆風順的呢？

如果，找到「真我」是人生該走的一條「道」路，那麼，與其說「找到」，我認為毋寧是「回歸」，因為既然「天命之謂性」，我們早就被上天注定好了。你是男人，就當不成女人；身高一七五公分，光著腳丫就是這麼高；天生黃皮膚，再怎麼美白還是黃；年輕人不滿意黑色的頭髮，於是染得五彩繽紛，但長出的新髮仍是黑色的。孔子說：「五十而知天命。」五十歲才能知道「我是誰」而安身立命啊！這個「我是誰」的答案，是來自成長過程中我們被貼標籤和被教育的結果；換言之，我們的價值是被外人給的。

記得我小學二年級時，老師點名要我擦黑板，當時這可讓我欣喜若狂地認真擦呀擦，回家後第一件事就是向媽媽誇耀：「老師今天叫我擦黑板了耶！」因為黑板不是人人能擦，必須由老師「欽點」，能被選上的必是老師心目中的好學生。此外，我小時候一大早就會跑去拿信箱裡的報紙，再恭敬地呈遞給爸爸，就為了贏得爸爸一句：「乖，好孩子！」被讚賞的孩子會逐漸奠定自信，被責罵的孩子會逐漸醜化自己。

我是在八卦山長大的原住民孩子，家境貧寒，煮飯全靠燒大灶，就必須用到大量的柴薪，因此，我每天早上都要爬到樹上去折樹枝。要是折得「劈」一聲，就表示這樹枝很容易燃，否則，燒出的濃煙準會嗆得人一把鼻涕、一把眼淚。有一次，媽媽在旁邊看我堆柴生火時懂得架出空間助火燃燒，便滿意地點點頭說：「你這孩子將來可能有點出息。」雖然媽媽只說「有點」，但我真是高興得將這讚美牢牢記到現在呢！由此可知，我們的自我肯定也是別人給的啊！

我們的一切都是被給予的，有滿足的家庭的愛，則幸福美滿，也有的人被電視上夜以繼日的負面新聞嚇到，就以為台灣不能住人了。我們都是被環境所塑造，被外界的資訊刺激所影響，不管你喜不喜歡、要不要，這都是既存的事實。這是第一個層次。

第二個層次則是「我是誰？」這個「誰」的答案是被貼上標籤、被命令的，也就是所謂的社會價值。當然，雖名之為社會價值，也不免有所衝突；同一件作為，有人認為聰明至極，有人反譏愚蠢之至。要回歸真我，就得從矛盾衝突的社會價值中跳脫並超越出來，進而自問，並且自答，雖然還不能確定自己是否答對了。

試想，這人生路走來至今，我們不知經過了多少次的自問自答，始終得不到踏實的答案。因此，我要奉勸大家接受一個事實：我們所面對的人生是個不確定的人生！生命是如此充滿了不確定和模糊，教人無法完全看透，若是能看透，怎會有人做了錯誤的決定，而導致離婚或身敗名裂等下場？

回歸真我

生命若能回歸簡單，就能生活得輕鬆快樂。人生不需要比較，你就是你；生命是無限的神奇，你當然在神奇之中。

人生總要經過一大段旅程，累積了無數的經歷和學習後，才終於大嘆：「我看到我真正想要的了！」或是「那個不是我想要的」而放下。著名的古希臘哲學家蘇格拉底，他的睿智便能提供我們檢視自己的價值。

有一天，他極罕見地上市集去，他的學生認為此舉並不尋常，待老師回來後便追問他獲得了什麼好東西。蘇格拉底神情愉悅地說：「我真是高興啊！我發現我不需要的東西竟有這麼多。」生命若能回歸簡單，就能生活得輕鬆快樂。

他尚且說道：「我只知道一件事，那就是我什麼都不知道。」我每天晨起後的第一件事就是閱讀。瀏覽群書後，我的心得就是：知道的愈多，就更感受到自己的渺小。如同老子也教人要「容物謙德」，他說：「執一以為天下牧。」也就是我們要謙卑得像「一」這麼微小，來作為世界的牧者！我真是深深認同，人就該如此來修煉自己。

而如何能快樂似神仙呢？能做一個自在、自主的人，就是神仙了；人生由我作主，我便快樂。我認為，漫漫人生路，終必須走上回歸真我一途。有些人含著金湯匙出生，卻有錢到非常不快樂，因為，上一代的傑出表現，耀眼到下一代難以承繼。開創者說創業維艱，接棒的人則會說守成不易；那些大企業家的第二代、第三代，就背負著龐大家業而守成不易的沉重包袱，很多人過得非常不快樂。

能回歸真我，就能獲得快樂。謹提供下列修煉四法，供大家參考。

◆逐漸開放自我

快樂的首要條件，就是逐漸開放自我，擺脫從小被貼上的標籤、被教育的價值、被期待的人生，然後對自己所迎向的新人生保持開放。人生的自由和動力，其來源就看你敢不敢冒險和開放；話說回來，要開放心態著實不易，因為我們總是依著經驗行事。

我接觸企業界的機會頗多，我始終認為沒有夕陽工業，只有夕陽管理和夕陽觀念。企業不能進步，絕大部分都是因為其固守著傳統的作法，很多老闆十八般武藝都學了，又是財務管理，又是經濟理論、人事經營、行銷策略等，樣樣自己來，就是不肯送員工進修，怕員工學會了就跑掉或被挖角。這樣的保守觀念不改變，企業怎能進步？

而美國奇異電器公司（General Electric Co.）的總裁傑克・威爾許（Jack Welch），被譽為「全球企業再造大師」。有記者問他的成功祕訣時，他淡淡表示，他並沒有什麼祕訣，不過是在二十年企業生涯中，花了四分之三的時間在看人、栽培人，把人才引進社會。「員工第一，策略第二」是威爾許的經營信念；他極重視培養人才，更瞭解把對的人放在對的位置上的重要性。話鋒一轉，他問記者，世界五百大的執行長，哪個不是從奇異公司出去的？威爾許把自己當成園丁，培育出最頂尖的人才和團隊，這就是企業家的胸襟。

企業要成功，就要有器度恢弘的胸襟；同樣地，人要快樂，也要有寬闊的胸襟。「阮若打開心內的門窗」這首歌，一開始就這樣唱著：「阮若打開心內的門，就會看見五彩的春光……」便是鼓勵大家放寬心胸、包容他人。

開放的相反就是閉塞。我在美國所服務的機構裡，有位身材豐腴的中年女士愛倫，她老是用繃帶纏著手臂，令我著實納悶。有一天，我忍不住好奇去問認識她的人，才得知愛倫得了骨癌，醫師說也許就剩下半年壽命了。我怎麼看都覺得不像啊！愛倫走起路來輕鬆活潑，還常吹著口哨、甚至哼起歌來，作風十分瀟灑；我們忙起來趕報告時，她也跟著連夜趕工，絲毫看不出有重病在身。

其實，癌症並非絕症，真正的絕症是「哀莫大於心死」。若我們只是展開雙臂去擁抱幸福，卻不開放心胸去經歷艱難，我們的人生將得不到力量。只消看台灣今日的「少爺兵」，不能耐操耐練也就罷了，還動不動就投訴受到如何嚴格的訓練。他們能打仗嗎？著實令人存疑。再看看，有人上街抗議外勞佔了我們的職缺，卻沒有人願意去從事外勞所做的辛苦工作，以致失業率居高不下。

中國大陸一開放，世界情勢就變了啊！國家如此，社會如此，個人當然也必須如此，否則，你怎能知道上天給了你多少禮物呢？你不多方嘗試，又怎知自己到底行不行？

有部名為《火戰車》（Chariot of Fire）的老電影，故事時空設定在一九二四年的巴黎奧運，劇中的兩位主角都是英國田徑選手，艾列克為他信仰的神奔跑，有猶太血統的哈洛德則為榮譽和偏見而跑。電影談到奧運精神，也談到信仰與人生。在某次比賽中，哈洛德敗給了艾列克，他一會兒氣憤至極，一會兒垂頭喪氣。他的朋友為他加油打氣：「你不站起來、你不再努力，如何證明自己能打贏他？」生命開放與否，往往就在一念之間，正如王陽明所言：「萬化根源總在心。」

◆相信生命機能

要回歸真我，就必得相信自己的生命機能，相信我們的眼睛、耳朵，以及鼻、舌、身。口足畫家謝坤山便是最動人的實例。四肢健全時的謝坤山有一百七十多公分高，能一肩扛起一百多公斤的重擔，並且健步如飛。沒想到，十六歲那年，在工作中誤觸高壓電，四肢都被燒焦了，經過搶救，只救回了一隻左腳。這樣沉痛的打擊真叫人情何以堪啊！

但是，謝坤山決定不向沮喪投降，反而自己發明了許多方法來自理生活，不給家人添麻煩，甚至還開始學著用嘴咬筆作畫。他的內心世界始終做著畫家夢，於是，他到知名畫家吳炫三當時任教的國立藝專，懇求吳炫三收他當學生。

一個沒有雙手，只剩一條腿的人，要前往拜師學藝，其艱辛程度不言可喻。謝坤山一路上辛苦地上下公車，滿身大汗地到達藝專，老師竟然不在；再去一次，又沒遇上老師，這真是大大考驗著他的意志力和決心；第三次他終於見到老師了。吳炫三被他的真心所感動，正式收他為學生。

然而，他的不幸尚未結束。有一次，謝坤山請妹妹幫他重新裝訂書本；妹妹在翻書時他靠得很近，書頁如利刃般割傷了他的右眼球，幾次手術也無法挽救他的視力，就這麼失明了。他因此又失去了一隻眼睛。

這重重折磨都沒能擊倒謝坤山。沒手的他用口作畫，在許多國際級的美術展覽中，都贏得相當的肯定與讚歎。誰能料到，這樣一位身障人士，竟能畫出國際級的傑作？就是因為謝坤山並不因為自己的失去而喪志，相信自己必有良能；反觀，有更多頭腦清楚、四肢健全的人，在心靈上卻有許多的障礙，很多憂鬱症患者就是瞧不起自己，無法面對真實的自我。要相信你是全世界唯一的一個你啊！我們要珍惜自己，並且要看得起自己。

初讀到《聖經》說：「有耳聽的，就應當聽。」我真是不解，有耳朵的不是自然就會聽嗎？後來才發現，有耳朵但不聽的人太多了。總之，上天給了我身體，我們就要健康地保養它；上天給了我智慧，就應該善用它去思考。有好手好腳，就去動、去做啊！

◆決定內在價值

要回歸真我，就要反思、自覺，而後決定自己的內在價值；我們要決定自己是為了什麼而活。在這價值紊亂的時代，我們都有職業，但少了職業倫理。猶記多年前的SARS風暴，那時有多少醫護人員高呼：「不想幹了！」做醫生的要先自問：我為何要當醫生？做老師的也要先自問：我為何要當老師？在尚未想清楚之前，請勿冒然為之。

我要向推動白話文運動的胡適先生致敬。胡適在他的留學日記中寫下：「我決定我這一生要當國師。」下了這樣的決定之後，當時在美國哥倫比亞大學攻讀哲學博士的他，便時時關心國內情勢。國共內戰期間，蔣介石對國運感到憂心忡忡，希望讓一個最有民意基礎的人士來領導國家；後來發現胡適最受知識份子推崇，就敬邀他來領導國家。胡適推辭說：「您看我桌上這麼亂，我桌子都整理不好了，怎麼管理一個國家？」就這麼四兩撥千金地婉拒了。在當時，總統的權勢何其大啊！但胡適不為所動，選擇回歸自己的內心價值，他認為有比當總統更重要的事，就是自己的決定，他要當自己的主人。

過了些時日，蔣介石又來敦請胡適當行政院長，胡適拉開抽屜說：「各部會就好比各個抽屜，行政院長要能管理好所有抽屜。但你看我的抽屜，比桌面還髒亂啊！」胡適又婉拒了。這就是一個人的格。每個人都要選擇最適合自己、令自己最舒服的行事格局。

前海基會董事長辜振甫愛唱京戲，他有句名言：「……如同會唱戲的，唱作俱佳，但有件事比這更重要，就是下台的身影要漂亮。」他曾當面對當時的中國國家主席江澤民說：「台灣人的生活與思考方式和大陸人並不同，台灣踐行民主政治達四十餘年，你們必須瞭解台灣和大陸的不同。」這話非常淺白，但非常有格。「不辱使命」，便是辜振甫先生對自己的評語。

人人的內心世界都要有個焦點，那就是人生的價值；有了清楚的價值之後，才能掌握有所為與有所不為。作為企業家就要知道其唯一的使命是創造客戶，與市場進行最密切的溝通，瞭解客戶的心理及其需要，不間斷地行銷與創新；醫生的職責和使命，就是讓生病的人走進來，然後健康地走出去；身為老師，就該把未來的主人翁教成有用的人；公務員要經過普考或高考，是千挑百選的優秀之才，可惜就職後往往忘了把優秀展現出來。人若不能回歸基本面的價值，人生必然混亂。

◆活出美好過程

生命是一個不間斷的過程，不是為了某個結果而活，而是為了過程中的美好。且看我們的國會殿堂，罵政多於問政，問政之後也沒有行政，這就是忘了問政和政黨政治的基本意義，忘了民主精神和守法的重要性。

前英國首相邱吉爾，被認為是二十世紀最重要的政治領袖之一，對英國乃至於世界均影響深遠。他說：「每一個人都應該有崇高的理想，我的理想就是：不讓我們的下一代重複我們這一代的問題。」邱吉爾在三十多歲時，就當上了第一海軍大臣，後來在一場戰役中落敗，便下台負責。之後，他託友人幫忙找工作，不計職位低下而成為一個小營長，負責挖壕溝，但他甘之如飴，實際踐行了「身先士卒」。

後來，邱吉爾的政治生涯扶搖直上，當上了英國首相，並帶領英國打贏了二次世界大戰，他說：「我沒有什麼可貢獻的，唯有熱血、眼淚和用功。」他的每一句話都激勵了二戰時的英國人。然而，後來他再度參選首相時，竟然落選了，他也並未哭喪著臉，只說：「只有偉大的英國人才會讓他們的英雄落敗。」

離開政壇之後，邱吉爾開始學畫，還同時是諾貝爾文學獎得主，可說是集政治明星、演說家、軍事家、畫家和文學家於一身。後來，英國人又把他請出來治理國政時，他也從容地返回政壇。他的一生，就是面對什麼便接納什麼，包括失敗，然後如實地履行使命。他正是活在生命的每個過程中。

人生是一個漫長的旅程，每一站都要能活得精彩，活出人生四季。零至二十歲是生命的春天，應該生趣盎然；二十至四十歲要活得像夏天，熱情奔放；四十至六十歲像秋天，開始看透世事、不爭不鬥。六十歲以後就進入了冬天，冬天最需要溫暖，六十歲的人就該給人溫暖，以豐富的人生智慧來啟發世人。

孔子更是活在一生的過程裡。「吾十有五而志於學」，十五歲時就知道要立志向學；踐行到三十歲的時候，「三十而立」，確立了自己人生的大目標；然後堅持到四十歲時，「四十而不惑」，對自己所要的不再有疑問。可見，從三十歲開始，人生目標雖然確立了，還是會再問「這就是我這一生真正要的嗎？」仍繼續追求真理，給自己不間斷的挑戰。「五十而知天命」，到了五十歲，已經知曉上天賦予的命運，不再動搖了。「六十而耳順」，「耳順」就叫做「通達」，與世無爭，任何問題一看就通透了。「七十而從心所欲不踰矩」，這是大自由，每個行為、思想、作為、來往，跟自己、跟他人、跟自然、跟無常，在七十歲時都能從心所欲不踰矩了，都在大秩序裡。

總之，還我生命自由，重歸真我的行路，也正是找尋自己究極生命價值的「道」路。我們要先自問：「我要在此生完成上天給我的什麼責任？」或是說如何利用上天所給的禮物，也要反思：「我可有認真地執行、利用上天給我的稟賦？」當然，也得檢查：「我可曾下了多少工夫，修煉出我獨特的生命價值來？」

你我都不必爭辯，我們就只有一個人生。「人身難得今已得」，請好好珍重吧！人生不需要比較，你就是你。生命是無限的神奇，你當然在神奇之中；正因為天有不測風雲，所以激發了我們不可思議的創造力。求功名並無不可，想成為富翁也很好，娶得美嬌娘也可喜可賀，期待孩子成為有用之人是人之常情；可是，請你不要忘記，這都是你的決定。

我祝福大家成為一個能為自己的人生做決定的人，擁有自由、自在和快樂。我們來到這個世界是來創造快樂，不是來受氣、怨恨的，讓我們去包容，去關愛，讓被你包容的人感激你，就如同你也感激包容你的人一樣。讓我們共同創造出如此富有人文精神之美的世界吧！

（本文為演講整理）

談飛躍壓力與情緒調適

調適情緒沒有什麼秘法，只有「轉念」二字。看待事情的角度絕不只一個，所謂「境隨心轉」，誰能轉念得快，誰就能愈快離苦得樂。我們不但需要朋友，最好還能是親密的朋友，能夠分享歡喜與憂愁；因為，「快樂因分享而加倍，痛苦因分享而減半」。

⊙饒夢霞（成功大學教育研究所副教授）

在步調如此緊湊的工商社會、交流如此頻繁的e化時代，如何抗壓、抒壓和鬆綁自己，已是人人熱切討論、急於修習的一門顯學。

「個體心理學」的創始人阿爾弗雷德・阿德勒（Alfred Adler）說，每個人自出生以來，多少都帶點自卑情結（Inferiority Complex）。毫無疑問地，我們不可能事事都比別人強，偏偏我們所生活的這個社會，就愛事事都和別人比較；難怪有人慨嘆：「萬般煩惱都由比較起。」愛比較、愛計較的人，心思總不離優勝劣敗，自然要和煩惱、壓力結下不解之緣。

身心健康的七項指標

積極的自我概念、對現實有正確認知、良好的人際關係、從事有意義的工作、活在當下、自我控制、身體健康……這七項指標以「身體健康」最重要；沒有這一項，前六項便流於空談。

傳統農業社會，我們每天都要迎接開門七件事：柴、米、油、鹽、醬、醋、茶。在現代人受困於壓力而「忙、盲、茫」的時代，我願意用另類的開門七件事，和大家分享飛躍壓力、調適情緒的學問。這七件事就是身心健康的七項指標；要心理健康，就要養成每天起床後，就把這七件事好好想它一想的好習慣。

一、積極的自我概念

要能瞭解並接受自己。你要自問：我喜不喜歡我自己？答案是「喜歡」的人，身心才可能健康，遇到壓力才懂得調適；若是「不喜歡」自己甚至討厭自己，不但自我關係不佳，也會影響到對外的人際關係，導致壓力源源不絕。

不少人屬於「外貌協會」成員，一切以外貌取勝；在減肥當道、瘦身成風的現代潮流下，許多人一心嚮往纖瘦骨感的名模身材，於是鐵了心腸把自己減成了紙片人。其實，外貌的感觀是一時的，內在的契合才能長久；我們該致力充實的是自己的內涵，愛上自己的人格修養，與自我建立良好關係，人生才能快樂長久。

因此，喜歡自己是調適壓力的第一步，別再有挑肥揀瘦的偏見；燕瘦環肥其實各有特色，只是時代的審美觀不同罷了，請不要盲目跟從、被有心人掀起的流行觀牽著鼻子走。唯有瞭解自己，進而喜歡並接受自己，才能給自己更大的發展空間。

二、對現實有正確的知覺能力

有心理學家將人的性格劃分為A、B、C型性格，A型性格的人富有強烈的進取心、侵略性、高自我要求等特質，常顯得爭強好勝、野心勃勃，往往就變得苛求自己；還會因為急於獲得成就，而強求同時間完成很多事，以致終日忙碌、難以放鬆；再加上要求凡事只許成功不許失敗，若出乎意料而落敗，就會彷彿世界末日而不知所措。愈是不知所措，壓力就愈大，就更容易出錯了，陷入惡性循環。不過，這種人也有相當的好處，因其進取心強烈，若能得到良好的引導，應有不錯的成就。

相對於A型性格的「急驚風」，B型性格的人就屬於「慢郎中」了，做事比較慢條斯理，能輕鬆地適應社會的急遽變化；寫下名句「采菊東籬下，悠然見南山」的陶淵明，就是B型性格的典型人物。說得更白一些，以今日的眼光來看，這種人的神經較大條，總認為天塌下來有高個子頂著，事不關己，故能悠哉度日。

C型性格的人是天生的憂鬱胚子，對人生、事業及人際溝通經常過度焦慮，不善與人相處，總能強忍著負面情緒，因而使身心處於壓抑狀態，不敢正視困難或矛盾而感到鬱鬱寡歡。醫學研究顯示，身體和心理健康乃互為影響；更有進一步的研究表示，C型性格的表現容易誘發癌症；因此，C型性格的C可看做cancer（癌症），又稱癌症性格。

不同性格的人，對事情的反應大不相同；而要避免無謂的壓力，就必須對現實有正確的覺知能力，要能面對現實並有效地適應。換言之，要看清自己所能與所不能；承諾做到的，一定竭力完成；若做不到，千萬別誇下海口或信口開河，那只是勉強自己、徒增壓力而已。若不能認清現實，分不清自己擁有多少助力、以及將面對多少阻力，就不易達到預期的成果而容易自責和沮喪；當負面情緒累積到了飽和點，人就要病了。

我曾在國中教書四年、高中教書二年，之後才出國留學拿博士學位，目前在大學當副教授。有一回，在為國中教師演講的場合上，有一位老師聽完我的心路歷程，興致勃勃地表示，她也要效法我再出國進修，然後更上一層樓成為教授。我得知她有二名幼子，白天由保母照顧，下班後才接回家；她先生也在上班，平時並不太分擔家務，父母和公婆也都早早表明不幫忙帶孩子。在這種情形下，這位老師如何能拋夫棄子出國深造呢？她說，她打算把孩子全權交給保母，我則是極力予以勸阻。

現代的父母多半都在上班，只能晚上帶孩子已是不得已的權宜之策了；有些人更當起「週末爸媽」，只有假日才和孩子相處。請父母們要三思，孩子的童年只有一次，要與孩子建立良好的親子關係，必須從小、從日常生活中培養起；而良好的親子關係，又與孩子的人格養成息息相關。還有什麼比這更重要呢？因此，我勸這位想出國進修的媽媽務必再考慮清楚，不能或做不到的事不要做；否則，將帶著愧疚的心，承擔著難以承擔的後果。

三、良好的人際關係

「在家靠父母，出外靠朋友」，我們不但需要朋友，最好還能是親密的朋友；如此不論遇到歡喜或痛苦的事，能有人與你分享，就能「快樂因分享而加倍，痛苦因分擔而減半」。活在人世間，我們不能離群索居、遺世獨立；既會與其他人互動，人際關係就非常重要了。無論是寒暄式的點頭情誼，或是能交心的三五知己，良好的人際關係能讓你在人生路上有人同行共勉，隨時為你加把勁。

四、從事有意義的工作

工作的意義並非建立在金錢報償的多寡。很多人投身公益志工行列，不但有錢出錢，更是有力出力；工作的價值感和成就感令人身心愉悅，這就是有意義的工作。當你有每一天的生活重心，知道你的去處、工作內容以及服務對象，然後「甘願做，歡喜受」，就能完成工作的意義；正如我的座右銘之一：「參與就是福氣，工作就有價值。」

有些工作能造千萬人之福，有些工作可造數十人之福，這都與職業貴賤無關；至少，你要能完成造個人之福、造家庭之福。總之，我們得量力而為，切忌不能認清現實而強己所難。意義一定存在於你的工作之中，就看你如何體會並樂在其中了。

五、活在當下

更認真地說，就是把每一天當作最後一天；若能如此，你就會更珍惜、更把握每分每秒而活出最大的價值。不要再為過去的種種不如意而自怨自艾，過去的就讓它過去吧！我們正在度過的就是這個「現在」，而且它稍縱即逝，當然要用心且快樂地度過，人生才不會留白啊！

六、自我控制感受及情緒

要能真實且實際地感受，不要過度渲染；能恰如其分地控制情緒，人生才有快樂可言。掌控情緒沒有什麼祕法，只有「轉念」二字。所謂「境隨心轉」，誰能轉念得快，誰就能愈快離苦得樂；不懂得轉念，就會被痛苦逼得往牛角尖裡鑽，那可是苦不堪言啊！

中國千百年來，有一個問題長期困擾著很多人，並且從未解決過，那就是婆媳問題。我也是過來人啊！身為人家的媳婦，再怎麼百依百順、再怎麼委曲求全，也總有被婆婆念不是的時候。從前的我有時氣不過，難聽的話就竄到了嘴邊；幸好，平時練就轉念的工夫，明白氣頭上的話就像亂箭四射，一定傷人；加上婆婆年紀大了，要是我意氣用事地和她槓上，最難為的就是夾在中間、左右為難的先生了。愛妳的先生，就不要讓他成為裡外不是人的夾心餅乾；因此，與婆婆有磨擦時，要能忍一時之氣，要轉念。老人家都

七、八十歲了，要他們改變成你所希望的樣子，怎麼可能呢？當然是年輕的我們來調整自己。

另一個現代爸媽更須轉念的，就是孩子的成績問題。我在美國攻讀學位時生下小女兒，一直到她十歲我們才回台灣，所以她的中文並不好，完全輸在起跑點上。回台灣後，小女兒從小三讀起，一直到高中，總算能夠順利畢業；儘管成績始終保持全班最後一名，還一路背著「博士爸媽」的包袱而受盡譏諷。

女兒終能夠在台灣平安地讀完高中，沒有中途自暴自棄或想不開而結束生命，就因為我對她只有一個期待：健康地活著就好；只要活著，就有希望。目前兩個女兒都在美國求學；看著她們長大成人、朝自己的人生目標邁進，我已經十分滿足了。

有建國中學的資優生因段考成績不佳而跳樓輕生，也有北一女學生相偕到宜蘭燒炭自殺，都是因為受不了成績差的打擊。然而，能考上建中和北一女的學生，他們的資質和讀書能力，已經是大多數人望塵莫及的了；這些孩子竟往牛角尖裡死鑽而輕生，就是因為不懂得適時轉念啊！不懂得轉念，讓我們損失了多少優秀的青年學子，真是社會的一大損失！

無人能倖免於壓力，我自然也不例外。從前，我最大的壓力來源是：我是一名副教授，而且已經是萬年副教授了；同事中，那些由助理教授升上副教授、教授、然後高升到榮譽教授的老師，多半是我聘任進來的，因為我是學校的元老。眼見這些後輩一路晉升到我上頭，我沒有壓力嗎？當然有！但我反省得很徹底。

我首先做好「積極的自我概念」和「對現實有正確的知覺能力」。我明白自己喜歡演講、出書，與人分享生活智慧，遠遠勝於喜歡做研究；於是，我決定不再把心思放在教授升等上，而是順著自己的志趣發揮，多與大眾接觸、分享心得。

如此一轉念，我不但有了良好的人際關係，同時也找到工作的意義，並且快樂地活在當下，不再承受教授升等的壓力了。能轉念就能知足，知足就能常樂啊！

七、身體健康

這是最重要且最根本的指標。身體不健康，人生所得都是假的，快樂、財富很快就歸零，之前的六項身心健康指標也就流於空談。

為人父母要特別注意，家裡若有零到十五歲的孩子，這段期間身體正在發育，正是打好健康基礎的時期，名為「生理我」；在這個階段，身體健康的重要性遠超過會不會讀書。十五到二十五歲的孩子，應該讓他多方接觸、多去探索、多元學習，這個時期名為「心理我」。

「生理我」和「心理我」都很充實，等於文武兼備。接著就進入「社會我」，是指二十五到五十五歲階段，是一生中最有生產力、最要扛起責任的時期。完成了人生的責任和功課之後，便能考慮退休，五十五歲之後便進入「自由我」，能「從心所欲不踰矩」，可以安心放下擔子，過著隨心所欲的自由人生。

無庸置疑，「生理我」時期是人生最重要的基石，健康的心理基於健康的身體；打好健康基礎後，方能在感情、意識、認知和行為上運作正常，才有可能創造精彩的人生。

情緒的六大害

面對逆境時的處理能力，我們稱為AQ（Adversity Quotient，逆境商數）；AQ愈高，便能「愈挫愈勇」；而生命的爆發力，往往就是在最危急的瞬間迸發出來。

首先，介紹一項關於「壓力事件排行榜」的研究統計如下：

壓力事件排行榜

生活改變事件	
1. 配偶亡故	23. 子女成年離家
2. 離婚	24. 涉訟
3. 夫妻分居	25. 個人有傑出成就
4. 牢獄之災	26. 妻子新就業或剛離職
5. 家族親人亡故	27. 初入學或畢業
6. 個人患病或受傷	28. 改變生活條件
7. 新婚	29. 個人改變習慣
8. 失業	30. 與上司不能和睦
9. 分居夫妻恢復同居	31. 改變上班時間或環境
10. 退休	32. 搬家
11. 家中有人生病	33. 轉學
12. 懷孕	34. 改變休閒方式
13. 性關係適應困難	35. 改變宗教活動
14. 家庭添進新人口	36. 改變社會活動
15. 事業重新整頓	37. 借債少於萬元
16. 財務狀況改變	38. 改變睡眠習慣
17. 親友亡故	39. 家庭成員團聚
18. 改變行業	40. 改變飲食習慣
19. 夫妻吵架加劇	41. 渡假
20. 借債超過萬元（美金）	42. 過聖誕節
21. 負債未還、抵押被沒收	43. 輕微涉訟事件
22. 改變工作職位	

（摘自張春興《現代心理學》）

從事此項研究的張春興教授認為，每個人在一年之內所承受的壓力感，不宜超過三百分。

一九九九年的九二一大地震及二〇〇九年的八八水災，都帶來相當重大的傷亡。我在電視上看到一名記者採訪一位原住民青年；他是二十六歲的年輕爸爸，平時開著小發財車到外地謀生。地震後隔天他趕回家去，發現整個社區已經夷為平地；懷著五個月身孕的太太，一屍兩命地壓在斷垣殘壁中；三名幼子死了，同住的老邁父母也死了……電視畫面上，這位孤伶伶的年輕人，正把一家人的遺照掛在小發財車上，淡淡地說：「日子總要過下去！」

一般而言，男女的抒壓方式明顯不同；女生多半會以哭泣來發洩情緒，男生則多選擇「痛苦吞腹內」。台灣人的平均壽命，男生比女生少了六、七歲，也許其中就有抒壓方式的因素存在。再怎樣的強者，都有其脆弱的一面；應該找人傾訴內心的苦痛，因為「分享痛苦，痛苦會減半」。男人也該懂得抒壓，千萬不可隱忍，要能及時轉念；否則，自怨自艾於悲慘的遭遇，最後可能連自己的命都賠進去了。

這位遭逢如此重大變故、頓失所有親人的男子，其壓力指數何其高啊！是否可以想想：老天獨留他下來，一定有特殊的任務；再想想能為往生的家人做些什麼？也許，利用這輛小發財車去幫受災的人家運送物資，等於是載著家人一同幫助災民。

面對逆境時的處理能力，我們稱為AQ（Adversity Quotient，逆境商數）。AQ愈高，便能「愈挫愈勇」，即挑戰愈高、挫折愈烈，就愈能激發出生命潛能；而生命的爆發力，往往就是在最危急的瞬間迸發出來。

壓力一來，就影響情緒；情緒低落時，對壓力的承受度就更為脆弱了。因壓力而受害的情緒，可歸納分為六大情緒團：

一、批評

一個愛批評別人的人，總忘了當一指指向別人時，還有另三根指頭指向自己。這種人多半是完美主義者，總愛雞蛋裡挑骨頭，對別人有高度期許，總是「嚴以待人，寬以律己」。

有人會辯解自己是「刀子嘴，豆腐心」；但是，刀子既出，就難免傷害別人啊！在數落別人之前，請先養成反省整個過程的習慣，然後自問：「我沒有錯嗎？」愛挑剔別人的人，因為完美主義使然，本身容易焦慮；而這一焦慮，往往造成別人更大的焦慮。

我從前就是一個完美主義者。由於愛讀書，也讀得很不錯，我總是勤作筆記、勤於複習；只要稍覺得該做而沒做到，我便焦慮起來，為此還吃了不少苦頭。而今，經過生活的歷練，我已經完全走出完美主義的魔咒了。我發現，很多爸媽都受制於完美主義，不管孩子表現再好，都能挑到不足的、還要加強之處，好還要更好。完美主義的爸媽總想塑造完美的下一代；但是，可能嗎？答案非常清楚，為何還要往這苦海裡跳呢！應該修煉轉念的工夫了。

所謂「天生我才必有用」；人人都有優點，懂得欣賞別人的優點，就是為自己打開快樂的門窗。因此，應該戒掉愛批評人的壞習慣；即使不能不批評，也要將對方的優點擺在批評之前。

二、恐懼

失敗和挫折會使生命力萎縮；因此，容易恐懼的人，一定曾在失敗中受創極深，甚至一蹶不振，以致「一朝被蛇咬，十年怕草繩」。恐懼是無形的殺手，解決之道就是讓這個殺手現形；愈是恐懼，就愈要勇敢面對。若能改變令你恐懼的情境，就去改變它；若是不能，就試著接受它；否則，恐懼會愈變愈大，甚至大到令人失去生命力。

三、罪惡感

女生通常要比男生更容易有罪惡感；例如，不得不離婚時，女生多半認為自己有錯；戀愛分手了，女生也會自責，把罪過攬在自己身上。但是，事實上，並不完全錯在女方。自覺不如人、容易苛責自己而產生罪惡感，可能有兩種原因：其一是根本不尊敬自己；其二是想藉自責來達到令別人難過的目的。

愈是容易有罪惡感的人，其自卑感愈重，總是不自覺地將自尊放在地上讓人踐踏。適當的反省當然必要，卻不必過度地將錯誤一肩扛起；「一隻手拍不響」，事情的發生，互動的每一方都是影響因素。

四、憎恨

憎恨就是跟自己過不去；你饒不了別人，就饒不了自己。不少人「情關難過」，當愛上不該愛的人時，憎恨之心就牢牢掐住了你們，雙方都得不到喘息；憎恨不得消解，就會生起報復之心。民國八十七年，發生於清大校園的王水毀屍事件，就是充滿憎恨的悲慘實例。

其實，再如何激烈的報復行為，都無法減輕一絲一毫的憎恨；最有效的解藥，就是寬恕。唯有寬恕，才能放下憎恨的枷鎖，邁步走向海闊天空。有醫學研究指出，不能原諒、內心充滿積壓已久的憤怒時，最容易得到癌症；因為，他的內心根本沒有空間讓輕鬆和快樂進駐，還能不生病嗎？

五、憂鬱

輕者心情低落、憂傷沮喪，重者甚至會因無助、絕望而自殺。憂鬱症已和癌症、愛滋病並列為二十一世紀三大病症，其致病因素相當複雜，從成長環境到後來的職場壓力等，成因不一而足；總而言之，就是對於所求耿耿於懷，累積過多負面情緒無法排解，一團鬱悶糾結在心，終致染病上身。

六、焦慮

你周遭一定不乏容易焦慮的人，總是掛念東、擔心西，顯得六神無主、驚恐害怕，卻又找不到真正害怕的對象；於是，一顆心老是懸著而形成障礙，正如佛教所言的「罣礙」。

解決焦慮的不二法門，就是要找出導致焦慮的元凶，然後面對它。心理學上有一種治療方法稱作「洪水猛獸法」，就是讓所有焦慮一次狂捲而來，以便認清這些焦慮其實毫無來由，完全是自己招惹而來；就算所有焦慮現前集中火力猛攻，你只要定定看著它，心慢慢沉靜下來，便能得到一種領悟：「那又怎樣呢？」沒錯，你還是你啊！

應付壓力的態度與方法

解除壓力源、豐富生活經驗、建立支持系統、照顧身體健康、體驗行為技巧……善用這些方法，能幫助我們舒緩壓力。

飛躍壓力的第一步便是找出「壓力源」——帶給我們壓力感受的事件或環境——然後勇於面對它，不要逃避。

一、壓力源解除法

壓力源可不只一個！它們可能來自生活周遭環境：也許你覺得自己人微言輕，意見總不被接納；也許你覺得自己大才小用，有志難伸；也許你碰到難溝通的公婆、難相處的同事；也可能是你受困於先天的宿疾，無法過一般人的生活……壓力源不勝枚舉，但應付的方法只有三種：M、C、T，合稱「壓力源解除法」；換言之，我們必須針對壓力源去強化我們的M、C、T。

● **心智管理**：M代表心智管理（Mind／Mental Management）；心智愈成熟，就愈能應付壓力源。心智成熟的標準，就是前面所介紹的「身心健康七項指標」；你愈喜歡自己，又有人際網路可分享歡喜與憂愁，並且能從事有意義的工作，這些都是心智成熟的表現。身心要健康，就要拿這「開門七件事」來自勉。

● **溝通管理**：有些人心智很成熟，但仍感受到壓力沈重，就是因為不懂得把不滿說出來，或是溝通技巧太差才無法排解壓力；所以，C就代表溝通管理（Communication Management）。處在人際互動如此頻繁的社會，不論身在何時何處，都免不了要與外界溝通；而有效的溝通是指：別人所說的話我能聽清楚，能確實掌握意思後再明白回應，如此才不致產生誤解而徒增壓力。

溝通的首要便是傾聽；上天讓我們有兩隻耳朵、一張嘴，其中應該有多聽少說的用意吧！溝通還要能直接，避免透過第三人傳達，以免失去原意。若你覺得有些話無法對某人直接說，得央請別人輾轉傳達，那就表示你的溝通技巧出了問題，應該切實檢討改進。

●**時間管理**：活在緊張繁忙的現代社會，感受壓力的重要因素之一，就是無法有效管理時間；T就是指時間管理（Time Management）。不能做好時間管理的人，事情總是有如燃眉之急，壓力能不大嗎？

二、善用壓力緩衝盾

壓力來襲時，請拿出壓力緩衝盾來保護自己。壓力緩衝盾上必須有五大修煉元素；修煉愈純熟，能面對、應付、解決壓力的技巧就愈高明。平時就請將這五大元素牢牢記在心裡，以便隨時應用；再不然，也可做成隨身座右銘，不時拿出來提醒自己。但必須說明，壓力緩衝盾並非護身符，它能緩解壓力，但不可能解決壓力；這點必須認清，才不致希望落空，又徒增新的壓力。

● **豐富的生活經驗**：生活要豐富多彩，就要多看、多聽、多聞、多問；生活經驗愈是豐富，就愈能運用多元的角度看待事情，不會死心眼、硬鑽牛角尖。我一生中最感恩的時光，就是在美國求學的十三年；在種族交融集聚的美國，發生一件事，能看到不同民族的不同反應，這令我的生活豐富了起來，也能領悟到看待事情的角度不會只有一個。這也是促進「轉念」的工夫。

● **支持系統或支持網絡**：當壓力來臨時，能夠尋求親朋好友的幫助；若無支持系統，就可能陷入獨處、鑽牛角尖的困境，後果很可能不堪設想。很多婚後專心持家的家庭主婦，完全以家為天，「守著陽光守著先生孩子」，便逐漸疏遠了自己原來的朋友，以致婚姻關係觸礁時，竟找不到任何支持系統。

請善用支持人際網絡來排解壓力；若一時尋求不到好友的支持，也請向生命線等相關機構尋求支持，那裡有專業人士能提供一定的幫助。當然，也要讓自己成為別人的支持網絡，在適當時機給予及時的幫助。

●**宗教信仰或正確的人生態度**：若你有宗教信仰，那真要道聲「恭喜了！」一位虔誠的教徒，常常能從禱告、拜懺等和神的互動中，得到莫大的力量。若沒有宗教信仰也無妨，那就建立正確的人生態度；正向的人生態度會幫助你適時轉念，就能有效面對壓力來襲。

●**照顧身體健康**：身體不健康，壓力往往就是壓垮駱駝的最後一根稻草。不健康的身體就像漏洞百出的空房子，脆弱得很；所謂「屋漏偏逢連夜雨」，這是很容易理解的困境。有健康的身體，才有充沛的活力和愉悅的心情來因應壓力。

● **行為技巧**：若你有機會參加靜坐、冥想、禪修、水懺等活動，不妨去體驗一下。這些具體的行為技巧，確實有益於抒壓，能幫助我們在短時間內獲得身心上的平息安定。

情緒自我控制法

請發展出適合自己的解怒方式，不該將怒氣悶住，那可會悶出病來。只要能對症下藥，怒氣其實不難消解。

一、誠實表達感受

中國人喜歡說「喜怒不形於色」，其實這樣並不健康。歡喜就要大聲笑出來，發怒時要能用適當的方式發洩，但必須以不傷害人為原則。

二、勤作臉部體操

每次照鏡子時，請不忘給自己一個燦爛的笑容。我們常說「相由心生」；心情快樂，表情就顯得愉快；我們也可以反向操作，先令自己笑開來，心情就會跟著舒坦起來。

三、積極釋放怒氣

可以從事靜坐、冥想等活動來平息怒氣。若真的是怒不可遏，不妨準備一個沙包，好好打它一頓吧！既能釋放怒氣又不傷害別人，也算兩全其美。

我自己發洩怒氣的私房妙招就是唱歌，依心情選擇適合的歌曲來放聲高唱。有些人選擇做運動，讓自己汗流浹背、氣喘噓噓，氣就消解了一大半。也有人心情不好就蒙頭大睡，一睡解千愁，睡飽就天下太平了。

有人會用自言自語的方式，自己對自己發洩怒氣。心理學上稱此為「自我內言」（self-verbalization），意指自己跟自己的對話，自己是主體（說話的人）同時也是客體（傾聽的人）。發洩需要對象、溝通需要管道，而自己就是現成的對象與管道，算是簡單易著手、並且健康有效的方法。

總之，請發展出適合自己的解怒方式，不該將怒氣悶住，那可會悶出病來。只要能對症下藥，怒氣其實不難消解。

最後，謹致贈大家一則「心理健康秘笈」，祝福大家都能飛躍壓力的關卡，創造自己和身邊家人及朋友的幸福人生。

心理健康秘笈

逃避不一定躲得過　面對不一定最難受
孤單不一定不快樂　得到不一定能長久

失去不一定不再有　轉身不一定最軟弱
別急著説別無選擇　別以為世上只有對與錯
許多事情的答案都不是只有一個　所以我們永遠都有路可以走
你能找個理由難過　也一定能找到快樂
懂得放心的人找到輕鬆
懂得遺忘的人找到自由
懂得關懷的人找到朋友

（本文為演講整理）

心靈的制約力量

為了超越心靈被制約的限制、讓自己活得健康且快樂，也為了讓心靈不斷擁有創新的活力，如何擺脫制約的糾纏，讓生命愈過愈自在無礙，就成為許多人追求的人生目標。這樣的追求，古聖先賢們已經累積很多修行成道的經驗；這些經驗是超越時空及文化的體察，也是幫助我們解脫制約煩惱的不二法門。

⊙陳國鎮（東吳大學物理學系教授）

生命最奧祕的部分不在身體，而是藏在身體裡的心靈。

心靈使我們產生喜怒哀樂等各種念頭；我們的一生，都在這些起起伏伏、時好時壞的心靈變化中度過。有些人覺得一生過得很不錯，也有些人感到人生好苦；你的人生過得如何，全都被這顆奇妙的心靈所主宰。

法國哲學家笛卡兒認為，生命有心靈和身體的部分、有精神和物質的部分。他並未否認心靈和精神的存在；只是，以科學的方法實在不知從何研究起，便先行研究身體的物質部分。但是，很多人就誤以為萬事萬物都可以物質來衡量。錯了！心靈有其特殊的面相，這個面相似乎只有靠人直接去接觸、靠人本身實際去探索和研究，才能對心靈有所瞭解。

這二十多年來，我從一個物理學學者，無巧不巧地走上探索心靈之路。走上這條路之後，我方才領悟到，我們有限的已知，絕大部分都局限在知識所學方面；但走上探索生命、自我修行之路後，卻可能學習到許多不同於過往的事物。

心為何物？

好像有個生命的作用在身體裡面，我們姑且稱它為「心」。這個能思想、能感覺的心理狀態，其實是虛妄的；若是沒有外在的物質世界，它就不存在了。

心靈究竟為何物？以最簡單的說法，心靈就是能知、能覺的某種東西，難以用具象的物件來比擬，但它的確存在著。問題就在於，這樣的認知實在很籠統，還是令人捉摸不清。只要翻翻小學生字典，就會發現和「心」相關的字就多達二百七十五個；心上畫一撇，就成了「必」；上面加個「上」和「下」，就成了「忐」和「忑」；上面寫一個「己」就是「忌」；換成一把刀，就是「忍」了。心的展現真是千變萬化啊！

不僅和「心」相關的字很多，相關的詞更是不少。一個人心腸好，我們說他有「善心」；講話誠懇，是出於「真心」；面對批評要「虛心」，做事要「專心」，待人要「誠心」，對待萬物要有「愛心」……與這些正面詞意相反的，則有「壞心」、「慢心」、「惡心」、「邪心」、「多心」等等，實在不計其數。我們雖然經常在使用這些字詞，但回過頭來想想，究竟什麼是「多心」、「邪心」和「慢心」呢？我們真的知道什麼是「心」嗎？

事實上，這顆心無時無刻都在影響著我們；我們的視覺、聽覺、嗅覺、觸覺等感官知覺作用，最後都用到心上去了。正因為如此，心上的念頭才會多得不曾稍停。

《圓覺經》中的〈普眼章〉說：「四緣假合，妄有六根。」我們的身體是由地、水、火、風四種因緣假合而成；在這個假合的身體上有虛妄的眼、耳、鼻、舌、身、意等六根。「六根四大，中外合成。」就是由這內在的六根和外在的四大因緣湊和成我們的身體。「妄有緣氣，於中積聚。」我們就是靠一口氣活著。「似有緣相，假名為心。」好像有個生命的作用在身體裡面，我們就姑且給它一個名字叫「心」。「善男子，此虛妄心，若無六塵，則不能有。」這個能思想、感覺的心理狀態，其實是虛妄的心；若是沒有外在的物質世界——色、聲、香、味、觸、法等六塵，這個虛妄心就不存在了。「四大分解，無塵可得。」再進一步分解合成我們身體的地、水、火、風，最後會發現一切都是空的。「於中緣塵，各歸散滅，畢竟無有緣心可見。」要是這四大元素各歸散滅，就不會有什麼心了。

以上這整段文字都在說明：佛法所詮釋的心是暫時的、是因緣和合的，其實不過是一種假象罷了。如此的詮釋，對我這樣一個學物理的人而言，還是不太清楚。佛經裡還常說「三界唯心」：三界指欲界、色界、無色界；

欲界的眾生就是有很多的欲望；色界的眾生欲望較淡，但仍有形象；無色界的眾生連形象都沒有了，但有思想存在。其實，我們每一個人都有這三界的特質，我們的身體是欲界；當說某人氣質好，就是色界的形象；某人很有思想，就表現出無色界的特色。而「三界唯心」、「萬法唯識」，意謂一切都是由心所造成，即所謂「一心生萬法」。這些經典名言說來說去都不外乎我們的心靈，可見其重要性和影響力之大了。

心的「被知」與「非被知」

會視而不見、聽若無聞，是因為我們心不在焉，沒有將心思放在那上頭；這就表示即使大腦接受到信息了，只要心不發號施令，我們就不會有反應。

我們可以從幾個角度來瞭解心。首先是「可被知的心」。例如，我們在面對事物時，能區分它們的不同，這是「可分辨的心」。又如美國發射飛彈去撞擊彗星時，我們會擔心彗星改變軌道後，會不會有什麼不良的後果；這種會思考的心就是「會思議的心」。看到喜歡的事物就念念不忘，挨罵了又耿耿於懷，這是「會攀緣的心」。會想東想西、做白日夢，就是「虛妄的心」。所有的心都有個對象，這個對象在佛經中稱為「所」；「有所住」，就是指心被對象捕捉住。這些心都是屬於「可被知的心」。

相對於「可被知的心」的是「非被知的心」，佛經上稱為「能」。我們能起念頭，所起的念頭能夠被知道，但起念頭的本身是不被知道的；佛教中有人稱此為「自性」，有人稱「知覺者」。這樣的心不是能被知道的對象，也就不受那個對象所影響，亦即是不被對象所汙染的「清淨心」；禪宗稱之為「本來面目」，一般則稱為「真如本性」。

一個「可被知的心」，一個「非被知的心」，表面上看似對立，其實不然。佛經上說「阿耨多羅三藐三菩提」，翻譯成中文就是「無上正等正覺」，就是「能」、「所」不二，這才是修行所要達到的圓滿境界；也就是「佛心」、「如來心」、「圓覺妙心」，是圓滿無缺、徹底覺悟的心。

「非被知的心」既然不可被知道，就不可能言說、不可能進行探討；所以，我們在此要探究的是「可被知的心」。有人會問：「你如何證明心靈的存在呢？」這真是個大問題啊！在科學上要證明一個東西的存在，就得透過儀器實驗，有「輸入」的動作之後，看到儀器上有訊號出現，即表示有「輸出」，那就可證明確實有東西存在。但是，做實驗的是人而不是儀器。

現在，我們將上述的儀器改成我們的大腦。我們的眼睛接受了光，這就是「輸入」；接著，大腦上就會接收到看見圖像的信息，這就是「輸出」；但是，做實驗的並不是大腦本身，而是有個「心」在解讀大腦。這個做實驗的人和心一定要存在，光靠儀器是無效的；靠大腦這個儀器得到輸入和輸出的因果關係後，再由心靈去判讀是否有東西存在，以及是什麼東西存在。

大腦是物質的，人人看得見，認為它很具體可知；相對地，一般人就認為心靈顯得很抽象了——但我並不認同。生命有四個層次：物質、能量、信息和心靈。當一個人專注地想一件事情時，就會持續發射穩定的信息波；然後，心靈會去擷取這個信息波而後產生知覺、判讀並發號施令，再產生另一個信息波，讓大腦轉換成電訊來指揮生命。因此，心靈能接收和發射信息波之外，還能詮釋信息波的文化意義；透過人體六根所感知的信息波，都要經過大腦升級處理，才能讓心靈形成辨識與認知。

換句話說，大腦既是資訊處理的總部，就像電腦的ＣＰＵ一樣，整理六根所感覺到的信息波，讓心靈來辨識和判斷；它同時也是感官之一，本身也可以直接接受信息波，那就會成為一種直覺或靈感。但是，真正發號施令的是心靈；若心靈不想做事，大腦接收到再多的信息都不會干擾到我們。亦即，心靈才是認知者，大腦不是認知者，它只是得力的副手而已。

大腦能夠非常有效率地處理繁雜的信息，但我們仍有視而不見、聽若罔聞的情形；反之，即便在喧譁嘈雜的環境中，我們仍能和別人愉快地暢談。這會視而不見和聽若罔聞，是因為我們心不在焉，沒有將心思放在那上頭；這就表示，即使大腦接受到信息了，只要心不發號施令，我們就不會有反應。能在吵雜的環境中和別人交談，也是因為我們把心思專注在交談上，所以也能忽略大腦所接受到的其他信息。這就是佛經所說的「作意」——你想要，你就能做到；相反就是「不作意」——你不想，就不會受到干擾。換言之，想做好一件事，就要專心，就要「作意」；不想受到干擾，就要「不作意」，也就是大家常說的「放下」。

而修行的目的，就是要把這顆心修煉到收放自如、能自己做主。所以，許多修行前輩鼓勵大家要走出閉關或走出山林，要勇於在塵世生活中修行；因為，能在紛擾中而不被干擾，才是真正的修行圓滿。

心靈主宰生命

我們希望身心健康，就要讓心念朝光明正向發展；哪怕這個世界有再多不好的煩惱，只要能保持積極正面的念頭，就能健康快樂地活一輩子。

若真要說心究竟是什麼？我只能說，依我的「想像」，心是聚集在一起、互相影響的生命功能——能吃、能喝、會說、會笑、會跑和跳。而每一個生命功能，在大自然中都自有與其相對應的信息波；換言之，大自然裡充滿眼、耳、鼻、舌、身無法感知的信息波，只有做為意根主要所在的大腦，才可以利用它的靈敏度覺察到一部分信息波。

例如，你想笑的念頭一動，想笑的信息波便立即發射出去；此時身旁若有一個人對這個信息波很敏感，能掌握住你的信號，知道你的念頭是什麼，這種人就是有「他心通」。一般人都有「他心通」，尤其是有血緣關係的一家人，便常有這種默契，能知道彼此在想什麼。

生命功能和信息波是同時發生、一體兩面的關係；一旦我們發射出任何信息波，都會影響到周遭世界，如此便會產生力量。因此，心靈是有力量的，正如我們常說的「同心同德」、「眾志成城」，只要大家同一心意、同一信念，所產生的力量將堅固如城池。而大家都發出同樣的信息波，這些信息波所存在的場域，就稱為「信息場」。

心靈開發的程度愈高，能感知的信息波也就愈多；生物的心靈不僅能接收信息波，也能創造信息波，改變周遭環境的信息場。在佛經裡，信息波稱為「法塵」，在中國文化裡則稱它為「炁」；不管稱呼為何，都肯定它的存在。它與天地萬物不斷交互作用，達成各種機制與動態的平衡；而萬物在吸吐信息波時，也各自呈現了物理和化學的特性。

我們可以用拉手指環的方式來證實信息場的存在。在道教裡，這個方式稱為「環扣訣」，是拜師學成之後、師父密傳的心法；在西方也用這個方法，稱為kinesiology（肌力測驗）或o-ring test：受試者把大拇指和食指扣成環狀，並由大腦送出信號去控制這個指環不被拉開。一般來說，別人使盡了力氣也很難將指環掰開；但是，只要讓受試者想一個討厭的人或紛擾的場景，手指環就會突然變得軟弱無力、被一拉就開了。反過來，受試者只要一想喜歡的人、或者想像蔚藍的晴空，手指環就瞬間又緊扣得怎麼也掰不開了。

這個試驗顯示出，一個念頭對人體可能產生偌大的干擾，也可能發揮極大的助益，全在一念之間。念頭就是一種信息波，而信息波又是無所不在、隨時隨地都在影響著我們。從這個實驗可以得知，當我們希望身心健康，就要讓心念朝光明及正向去發展；哪怕這個世界有再多不好的煩惱，只要能保持好的念頭，就能健康快樂地活一輩子。

因此，每天早上起床，請給自己一個愉悅的微笑，想像自己是個充滿快樂能量的人；若是碰上苦惱的事，就儘量在最短時間內結束它，苦惱的信號就不會苦惱你的身體了。

很多人誤以為健康是要靠吃補、靠看醫生；其實，健康是由我們的心靈所主宰。且看廣欽老和尚；論營養他遠不及我們，卻能高壽九十五，就是因為他的心靈很健康。多少高僧大德的身體並非毫無毛病，卻還是能圓滿完成一生的修行，就是因為心靈健康。

生命功能之間，彼此會利用信息波來進行互動，如眼、耳、鼻、舌、身、意之間的內在互動；也會與外界產生互動，像是一人打哈欠、另一人就受到影響而跟著打起哈欠，然後一個接一個地打哈欠。這些互動又可分成不同的層次；以心理學上的區分法，根本察覺不出來的屬於「無意識」，很細微的叫「潛意識」或「前意識」，較表層能被我們知道的是「意識」；這些不同層次的意識也會改變，從意識變成潛意識，或從潛意識變成意識。例如，有許多上了年紀的人，反而比常人更能夠把非常久遠的瑣事描述得十分清楚，總是開口閉口「想當年啊……」但眼前的事卻老記不得。

生命功能的產生也可分為幾種類型。

一是「真空妙有」，即「無」中生「有」。這表示，這世上不可能有隱藏的東西；只要有人起了任何念頭，這個信息波就會被傳遞出去，完全不假外緣；這是生命最可愛、最活潑之處，但也最難以掌握。老子的「有生於無」就是這個道理；道行高深的修行者，就能懂得如何讓有巧妙地生起。

二是「業緣和合」：因緣就是生活周遭的狀況，業力就是個人生命史所留下的特質；個人業力和周遭因緣相應後，會形成強烈的共振而產生力量。例如，看到食物就想吃；吃這個念頭是情不自禁的，這就是業力。若你要節食減肥，或為了身體健康不能吃，你就必須轉念。

三是「內緣相生」：個人的內在業力互為因緣，交相牽引而產生結果。在精神疾病上，這種情形尤為常見；有些人產生煩惱，所煩惱的事兜一個圈子後，又回到了煩惱的原點，於是陷入煩惱泥淖中而精神失常了。

此外還有「外緣相生」：看到某件事物，就聯想到另一件事物，然後又繼續聯想到其他事物，像連續劇般沒有盡頭。「外緣牽動內在業力」，其內在心念便會受外在許多事件的影響而牽動。這些都是心靈經常出現的變化。

我們的心靈受到內外緣不斷地激盪，時時刻刻不能稍停，連睡覺都免不了受到干擾。如果你察覺到這些激盪，就會發現自己的雜念繁多，心始終安定不下來：原因就是你受到太多的外來影響，並且你自己本身也影響了自己。很多人發現不打坐還好，一打坐偏偏念頭特別多；這是因為，當你有時間靜下來觀察自己，就會發現雜念飄忽來去。其實，平常這些雜念就存在著，只是你視而不見、不在乎它們罷了。

禪宗二祖慧可去拜見達摩時，達摩起初並不理會他；苦等了好一段時間後，達摩才問慧可：「你來找我幹什麼？」

慧可回答：「我的心得不到安寧。」

「那你把心拿來，我幫你安一安。」達摩說。

「我找不到。」慧可回答。

達摩便說：「那好，我已經把你的心安好了！」

為何慧可找不到心？因為心不是能被拿出來的。慧可那顆得不到安寧的心，指的是「可被知的心」；而達摩要的，是「非被知的心」。既然拿不出來，就不會被汙染，就無所謂安不安的問題了。這是禪宗最典型的關於「心」的對話，師徒兩人幾句話就解決了所有問題，真是太美妙了啊！

心靈的制約反應

例如，聽到「少女的祈禱」，我們就知道垃圾車來了。當兩件事物經常同時出現時，大腦對其中一件事物的記憶會隨之帶出另一件事物，這就是「制約反應」。

俄羅斯生理學家巴夫洛夫（Pavlov）以一項實驗於一九〇四年榮獲諾貝爾生理醫學獎，這項實驗被稱為「巴夫洛夫的制約反應」或「巴夫洛夫的狗」。其內容是：拿食物給一隻狗時，狗會流口水；接著，在給食物的同時一起搖鈴，讓狗在看到食物的時候都聽見鈴聲，這時候狗還是會流口水。如此重複多次之後，光是搖鈴而沒給食物，狗一樣會流口水。

其實，我們的日常生活中處處不乏這樣的經驗，「望梅止渴」就是最好的一例——想到酸梅就會流口水。此外，聽到「少女的祈禱」，我們就會想到垃圾車；聽到德國作曲家華格納的歌劇「羅安格林」、或是德國作曲家孟德爾頌的作品「仲夏夜之夢」裡的結婚進行曲，就會聯想到婚禮。也就是說，當兩件事物經常同時出現時，大腦對其中一件事物的記憶會隨之帶出另外一件事物，這就是「制約反應」。

這個「制約反應」其實很容易理解，因為大家都有相同的經驗。二〇〇二年我到德國開會時，再次聽到「制約反應」，突然令我有了不同的想法：「巴夫洛夫的狗」實驗，只說出了現象，卻沒說明道理。為什麼會這樣呢？我終於把這個道理想通了。

一九四八年，匈牙利物理學家鄧尼斯・嘉伯（Dennis Gabor）提出「全像理論」，並於一九七一年榮獲諾貝爾物理學獎。這項研究的影響非常深遠，能夠解釋佛教中的無量世界。他運用物理學上光的干涉原理，發明出全像雷射立體攝影術（Holography）。首先，用一道雷射光束照射一個物體，然後利用第二道雷射光束與第一道光束的反射產生干涉的圖案，並被記錄於底片上。底片洗出後，看起來像是無意義的光圈與條紋組合；但是，當底片被另一道雷射光束照射時，一個三度空間的立體影像就會出現在底片的另一面。這樣做成的底片就稱為「全像片」。

全像片的特殊之處在於，如果一朵玫瑰的全相片被割成兩半，然後用雷射照射，會發現每一半都有整個玫瑰的影像；不只如此，即使把這一半再分為兩半，然後再分割下去，每一小塊底片中，都會包含著一個較小的、但是完整的原來影像。亦即，全像片的每一小部分都包含著整體的資料。

後來，著名的量子物理學家大衛·玻姆（David Bohm）提出一個全新的

「宇宙全像觀」——儘管宇宙看起來具體而堅實，其實宇宙只是一個幻象，一個巨大而細節豐富的全像片——簡言之，就是把宇宙看成一個全像體。

而腦神經學家凱爾・普里布拉姆（Karl Pribram）做了一輩子的腦部研究，發現有很多腦部的奇怪現象無法用當時的腦科學理論詮釋；例如，腦部不同的區塊可表現不同的功能，像是聽覺區負責聽覺功能、視覺區負責視覺功能等。但是，依他所進行的動物實驗發現，即使某個區塊被破壞了，它的功能依然能被表現出來；例如，他發現，不管老鼠腦部的什麼部位被割除，都不會影響它的記憶，仍舊能表現手術前所學到的複雜技能。這個現象令他百思不得其解。

後來，在一九六〇年代，凱爾・普里布拉姆就引用了鄧尼斯・嘉伯和大衛・玻姆的全像體概念，將大腦視為三維的全像體，亦即他將頭腦本身視為一個全像片；那麼，他在大腦研究上所遇到的奇異現象，就都能獲得解答了。凱爾・普里布拉姆應用全像體概念解釋，腦部功能其實散布在所有腦區域。

現在，把大腦想像成立體的影片，大腦就會產生制約現象。因為，在全像區裡，不管破壞了哪個區域，它的功能依然能表現出來；亦即，當信息波被心靈有意識地抓到了，就會產生那樣的知覺。

我們都有觸景生情的經驗，看到什麼景象，就想起某件事。李白的名詩〈送友人〉裡的兩句：「浮雲遊子意，落日故人情」，「浮雲」和「落日」就是制約的暗示，看到它們就聯想到自己流浪在外以及朋友的情誼。「曾參殺人」的故事也是如此；起初曾參的母親並不相信曾參會殺人，但被人連講了幾次後，她就害怕得翻牆逃走了。像曾參那麼賢良的人，只要多幾個人說他殺了人，連對他最有信心的母親也會相信，這也是被制約了。

聯考制度就是一種強大的制約。為了考上大學而死命讀書，完全忘了求學的本來價值和意義；為了考上而去補習，應運而生的補習班就如雨後春筍般大量冒出。很多自信心不足的父母和學生，看到別人在補習，認為自己沒去補就輸了；其實，很多人不必去補習也能把書讀得很好，但被制約之後就失去自信心了。

台灣人最狂熱的選舉也是一種制約；經過媒體的強烈放送，每個人都有強烈的政治傾向。其他如廣告、宗教等，都是因為被制約而有詐騙和迷信的情事產生。

善用制約的力量，則能達到想要的效果。例如，在課堂上，當老師以示範的方式教學，學生對照課本學習；日後，學生只要閱讀課本，就能聯想到老師所做的示範，便能有效幫助記憶。很幸運地，我國中的理化老師把課本上的每個實驗都實際做給我們看，真是非常感謝他；因為，我們每看到相關問題，就會想起老師的實驗，就這樣加深了我們對那個原理的印象。

現在我也是一名老師了，我也很喜歡進行示範教學。當我教到「凸面鏡有聚光作用」時，就拿出一面很大的凸面鏡對著太陽，然後會產生一道聚焦的光點。學生問：「聚光點是什麼感覺？」我建議他們實際用手摸摸看；每個人伸手之後就馬上縮回去——「好燙！」每個人都會永遠記得這個感覺。我在講述陀螺的原理時，就直接帶一堆陀螺給同學玩，大家玩得不亦樂乎，也學到了相關知識。愈是抽象的知識，愈是要用示範的方法，這就是運用制約的力量。

實習也是同樣的原理。不管是到工廠或醫院實習，累積實際操作學得的經驗，日後不管在哪裡操作時，就能聯想到課本的內容；看到課本時，也能聯想到實習的情況。這也是運用制約的力量。

記憶力的訓練更是制約力量的展現；有些專門訓練記憶力的機構，其實就是利用喚醒制約訊號的方式來喚起記憶。例如，丟了一枚戒指，就請你一件件地仔細回想那一天做了什麼事；最後想到，接到一通突然來的電話時，就隨手把戒指放在桌上了。因為「接電話」和「放戒指」的訊號本來就存在；透過「干涉」作用，想起接電話，就能聯想到放戒指的地方了。

宗教上的持咒和觀想，也是利用互相制約的力量；持咒時就想到菩薩聖像，看見菩薩聖像就自然念起咒語，常常都是如此交替運用。

掙脫舊典範的制約

因為接觸了很多奇怪的事情，那樣的經驗突破了既有典範的思維，而且通通能夠得到驗證；我不得不努力掙脫原來的制約，才得以看到更寬廣的世界。

做學問的人，當信服某種觀點而產生既定信念，一旦被挑戰，就會產生強烈的危機意識而抗拒，也許就因此而永遠學不到新知識。有位科學家說，一個新典範要能被廣泛接受，唯有待舊典範都不在人世間；這話滿有道理：當舊世代不在了，新觀念自然能被新世代接受。這是因為，要被新觀念所轉化實在難上加難，因為我們都被舊觀念制約了。

我是學物理的，要接受心靈力量這種新觀念，一開始也是十分掙扎；因為，我必須接受在我所學的知識之外，還有別的東西存在。我原先也深受既定典型所制約；但是，我因為接觸了很多奇奇怪怪的事情，那樣的經驗突破了既有典型的思維，而且通通能夠得到驗證；不得不修正自己，努力掙脫原來的制約，才得以看到更寬廣的世界。

例如，有一次我出遠門，嘗試靜下心來觀想家裡正在發生的事，然後打電話印證，竟發現完全正確；還有一兩次經驗是，事情才將要發生，我就能事先察覺出來。這從因果律來看，根本解釋不通，但我的察覺全部正確。那段時間，我的精準度達到百分之九十九點九，連我自己都嚇了一大跳。

其實，我正常得很，我的生活功能一切如昔。若非有如此奇特的經驗，我根本無從突破我從物理學習所建構的時空概念；對我而言，這是多麼重大的突破啊！之後，我就走出原來的物理學藩籬之外，到達更寬廣的天地，這是多麼奇妙啊！這世界就慢慢在我眼前展現不一樣的東西。因此，我們要跳脫出制約。

尤其，人人都希望生活得更好，更能自我掌握，那就必須設法瞭解生命中最深層、最主要的主宰——心靈。

大家都知道「孟母三遷」的故事。孟母就是擔心孟子受到不良環境所制約，將來會洗不掉這些訊號，才要一再搬家。從前環境單純，要搬家很容易；但現在已經大不相同了，不論搬到哪裡周遭環境的干擾信息都差不多。

那麼，要如何做到類似孟母三遷的效果呢？就是讓心靈不要受到干擾。

我們的心之所以不得安寧，就是心所建構的內在和外來的刺激實在不計其數。有時候，我們會突然想起某件事；若仔細推敲起來，那可能是某個時間、某個人曾對你說的某件事。心靈受到制約的影響實在既大且深，所以修行多麼不容易啊！佛法說，要三大阿僧祇劫才能修成正果，就是因為我們所受到的制約太多、太深、太重了。

要如何慢慢放掉這些制約呢？首先，也是最實際的，就是肢體的放鬆。肢體放鬆是很重要的學習；能放鬆肢體後，就能放掉許多壓力，體態也能更流暢優美。其次，要能夠好好睡覺。據精神醫學的統計，目前有五分之一的人有失眠困擾；而我也發現，很多人雖然年紀輕輕，不但身體很僵硬，而且都有失眠的毛病。

我在課堂上教學生放鬆後入睡，結果大家都能睡著；因為，從他們讀書以來，沒有人告訴他們可以去睡，而他們相信我不會因他們睡著而責備他們。待學生睡著後，我再逐一觀察：能睡得很放鬆的人，臉頰一定紅潤；若睡著而未放鬆，臉頰則會顯得蒼白。

睡得著加上睡得好，醒來後一定精神飽滿、心情愉快，原來脾氣暴躁的人也會變得溫和許多；因此，好好睡覺是相當重要的修行。雖然終日忙碌，但一躺到床上就能立即入睡的人，一定不會罹患精神疾病。請大家一定要好好提升睡眠品質，讓自己能在短時間內就放鬆入睡，並且進入深沉的睡眠，不輕易被吵醒。睡眠時間占掉人生的三分之一，自有其道理存在。睡覺即是充電，電充飽了，身心都愉快；不能睡，就只是處在耗電狀態，終因耗到底而精神失常了。也有人利用數息的方式來調和身心；當數息能達到極穩定的狀態，就表示身心也處在極安定的狀態。

最基本、最易著手的方法，就是每天醒來就想想令心情高興的事，做做讓身心舒暢的行為；即使再怎麼不快樂，只要願意去想，都一定能找到正向的思考。若能隨時保持笑容，打從心裡發出喜悅之情，身心一定健康快活。另外，要學會欣賞，能欣賞別人就是一件心靈健康的事。天下事乃天下人所共有，成功不必在我，要能欣賞別人的成就。

散步也是人人都做得到的好方法。散步就是要放慢腳步地走，走出身心的韻律感；不要急躁，要悠閒；散步的地點要有植物和綠地、水和陽光，去望望藍天、看看綠地，遠眺山稜，享受日光浴，這都是再自然不過的事。最好能在早晨散步，散步過後也最好能洗個舒服的澡，讓清水把身上亂七八糟的訊號洗得乾乾淨淨。

我將兩位諾貝爾獎得主的發現相結合，得出心靈制約力量的存在和掙脫此制約的方法，而這也是幾千年來修行者所尋求的解脫之道。《金剛經》說：「凡所有相，皆是虛妄；若見諸相非相，即見如來。」若能從「被知」轉回「知」，從「所」（諸相）轉回「能」（非相），就是達到禪宗的開悟境界，就能與所有煩惱保持距離，得到清淨心。

在《楞嚴經．觀世音菩薩耳根圓通章》中，文殊師利菩薩說：「大眾及阿難！旋汝倒聞機，反聞聞自性。」他請法會在場者及阿難尊者，把往外聽聞的能力倒轉過來，反過來聽自己的自性（能）；「性成無上道，圓通實如是。」這樣才能成就最高的境界，而佛法的圓通法門之一就是如此做的。「此是微塵佛，一路涅槃門。」這是無量無數的佛一路如此成就過來的。「過去諸如來，斯門已成就；」過去的所有諸佛都是修這個法門而得成就的。「現在諸菩薩，今各入圓明；」現在的諸菩薩也都已經走進這個法門。「未來修學人，當依如是法；」以後修學的人也必須依照這樣的方法去修行。「我亦從中證，非惟觀世音。」文殊菩薩也是這樣證道的，不是只有觀世音菩薩才這樣做。

瞧！有諸佛菩薩的保證，要比我個人的保證有力多了。當你能達成這樣的修為時，你將發現，你的存在是恆遍十方，你是充滿整個宇宙的；過去、現在和未來都有你，亦即你的生命超越了時空的限制，生命已經無法界定在一個小小的時空當中，整個宇宙都是你。

因此，我們一定要從我們的心靈做起，解脫所有內外的制約，返回生命真正的本體上；那麼，生命就有無量寬廣的時空。這就是為何諸佛菩薩能遍知和遍覺；祂們看眾生，就像我們透過顯微鏡在觀察微生物一樣地清楚明白，這就是生命的極致。「心、佛及眾生，是三無差別。」佛菩薩能達成這樣的境界，我們也能，只要我們也走和祂們一樣的路——掙脫制約。

（本文為演講整理）

生活與生存——談教養

我對教養的定義是：內在自我的教育、對自己在宇宙及社會中的定位有清楚的掌握與認知、對周遭生物的生存權利有敏感度、對別人的感受有所尊重、具強烈正義感、知道如何節制自己、擁有目標明確的人生觀、擇善原則、有敬業精神、體貼別人。

⊙黃崑巖（成大醫學院創院院長）

要生活，就不能光講求生存；很自然而且很必要地，就得包括教養在內。我們偶到人間一遊，不過就是八十年光景；這段期間內，要如何經營出有尊嚴的生活以及有品味的能力，就是靠教養。

何謂「教養」？這是見仁見智、人人都可以下定義的問題；因為，教養所涵蓋的層面太廣，不僅生命觀、價值觀等大課題包括在內，乃至生活觀、社會觀、審美觀、道德觀、國際觀等。我的摯友傅偉勳教授寫過一本《死亡的尊嚴與生命的尊嚴》；他曾對我說，人希望死得有尊嚴的想法其實是多餘的，死亡並無所謂尊不尊嚴；要死得有尊嚴，就要看他活得有沒有尊嚴。換句話說，就要看他是不是一個有教養的人。

要有尊嚴地生活

透過外力——教育——來增強腦部的新皮質，以壓制和禽獸相同的舊皮質，展現人類特有的思考和溝通能力，要有尊嚴地生活。

生活與生存的分際在哪兒呢？我們必須認識得很清楚；簡單來說，就是人類與禽獸的分際。我們必須承認，我們都有獸性，但我們和禽獸仍然不同。提出「物競天擇」理論的達爾文，在一八五九年出版的《物種起源》一書中提到，唯有人類有倫理；他還說過，唯有人類才會建立這麼複雜的共同體，也就是社會。雖然後來我們也發現，在大猩猩的社會裡也有倫理的雛型，蜜蜂和螞蟻也都有牠們的社會型態；但比起人類，畢竟還是簡單得多了。這其間的最大差別，就是人類會思考和溝通。

也因此，我不相信孟子的「人性本善說」，倒認為荀子的「人性本惡說」頗有道理，因為我們天生就具有獸性。大猩猩的腦容積只有四百五十毫升；五十萬年前的北京人，他們的腦容積就有一千一百毫升，算是大幅成長了。現代人的腦容積則已經有一千四百五十到一千五百毫升了，原因在於我們多出了新皮質和額葉；若能善用新皮質和額葉去壓制舊皮質，就足以把我們的獸性壓制下去。

此外，人類的腦體積比消化器官大上許多，是因為人類會使用火之後，能夠把食物烹調得容易消化，所以就不需要大體積的消化器官；相對地，大猩猩的消化器官就要比腦體積大得多。人類一天所產生的總能量，即使整天都不動地坐著，也有百分之二十的能量是用在腦部活動；換句話說，人是無時無刻不在用腦的動物。

以我一天的作息為例。我早晨六點半起床後，一定上跑步機，設定好速度和時間後，就開始或走或跑；其間，總是會有不知從何而來的誘惑，誘使我去看還剩下多少時間，而且幾乎每兩分鐘就會瞄一下儀表板。其實，我自己也很討厭這個動作，所以總是下決心不要看儀表板。如何能不看呢？我試過很多方法，發現唯有想其他事情來轉移注意力才可能不看；而且，每次動念要偷看時，就要用意識強迫自己不看才行。

一九〇〇年，精神分析學家佛洛伊德發表《夢的解析》時就指出，人在睡覺時也從不停止思考，主要是意識和下意識在進行對話。十七世紀著名的哲學家笛卡兒，他最經典的名言就是「我思故我在（I think, therefore I am.）」，意即「我的存在是因為我會思考。」我將這句話反過來說：不會思考就不是人。

那麼，生活究竟是什麼呢？我曾經讀過一本書《Who is man?》作者亞伯拉罕・約書亞・赫謝爾（Abraham Joshua Heschel）說：「生活就是一系列要面對的問題。」說得真有道理。我們每天早晨起來後，不就是要看天氣的冷熱晴雨，來決定要穿什麼衣服、要不要帶雨具等嗎？這就是面對問題。

一九八二年，我應李國鼎先生之邀，從美國回來創立成功大學醫學院；當時，院裡的所有老師都是我面試來的。有一位從國外留學回來的女士前來應徵，我問她認為生活是什麼？她回答：「生活是一系列的發現。」這個回答真是讓我佩服極了。依赫謝爾所說，「生活就是一系列要面對的問題。」克服和解決問題的過程，不就是一系列的發現嗎？

以此類推，人人都可以為生活下定義；而我相信，最後得到的定義一定和「利他」有關，也就是傅偉勳所說的——要有尊嚴地生活。

美國幽默大師馬克吐溫也寫了一本《Who is man?》，書中談到人需要「外力」；他說，這個「外力」就是教育。教育的目的就是壓制我們的舊皮質，使我們有教養。馬克吐溫說過一則笑話，他說：「華盛頓將軍的品性非常好，他從來不說謊；但我的智慧和道德標準比他高，因為我知道如何說謊卻不說謊。」這表示馬克吐溫能夠壓制自己的舊皮質。

我在國外住了二十多年，也走遍世界各地，發現中國人和台灣人總是動不動就愛動粗，這或許是因為我們壓制不了腦部的舊皮質。我曾經用放大鏡仔細看過每一寸「清明上河圖」，發現全圖八百七十一人中就有兩人在打架；而我在美國二十多年間，只看過一次有人在光天化日下打架；那次是因為罷工，而有些人不罷工，要穿過罷工工人所排起來的界線，兩邊就打起來了。外力，就是教育，必須把新皮質的力量增強，以壓制舊皮質。

培養智識分子的教育

教育的目的是在培養眼光、正義感、邏輯、道德勇氣和人類愛，以及辨別是非、批判、做決定和實踐力行的能力；是在發展價值觀，是賦予智慧。

美國醫學院學會（Association of American Medical College, AAMC），它的四個醫學院的教育基本目標中，第四項即是敬業精神；亦即，醫生看病一定要仔仔細細地把病人從頭看到腳。

我們的醫生有實踐這樣的敬業精神嗎？或者把這樣的精神放在心上？二〇〇五年一月十日，腦部受到重創、需要緊急救治的邱小妹，竟然在醫生連看都沒看到的情況下，就下醫囑讓她從醫療資源最豐沛的台北市，轉診到遠在一百多公里外的台中縣，這根本是明顯的失職。若是醫師能在第一時間給予適當的急救，整個事件或許會有不一樣的結果。

一位來自美國紐約的知名學者，到台灣當了一個月的客座教授。離台前，記者問他對台灣醫學界的感想；他說：「我的教授告訴我，看病的時候，要從病人的頭頂看到腳底；但是，你們的醫生根本沒在看病人啊！」他舉例說明：一位三十八歲的女性因罹病而頭髮全掉光，所以她平時都戴著假髮；但她住院八天後，竟然沒有人知道她頭上頂著的是假髮。這真是糟糕透頂，國家花了那麼多資源培養出來的醫生，竟然不看病人！

他說的也沒錯。台灣的醫師看一名病人只花三到五分鐘；而那位戴假髮的女病患在醫院待了一萬一千五百二十分鐘，醫生都沒看出她的假髮。曾有一名醫技人員用自己的小便來替代五名毒犯的尿液檢驗；這不但是失職，更是違法！試想，如果你的尿液被調包成愛滋病患者的尿液，後果將會如何？從這些事件，我們應該反省到，除了要加強醫學專業教育之外，人的教育更是重要；凡是和醫療相關的從業人員，都必須接受人性的教育。

那麼，教育又是什麼呢？是不是應該名正言順地定義清楚？有人問：道德和倫理有何差別？為何我們不說家庭道德而說家庭倫理？一九七二年，由馬龍白蘭度和艾爾帕西諾主演的電影《教父》，闡述的正是黑社會的倫理；但是，他們有道德嗎？道德和倫理顯然有別，大家必須認知清楚。

就像禮節和禮貌也並不相同。在台灣，大體上是禮節有餘、禮貌不足。過年時見了長輩，又是爺爺、又是叔叔、伯伯地熱情叫著，那是因為有紅包可拿；但這不是禮貌。只要在台北開一次車，從駕駛人懂不懂得禮讓，就知道這個社會有沒有禮貌了。

關於教育的目的，我綜合國內外各大書籍的觀點，歸納出教育的目的是在於：培養眼光、正義感、邏輯、道德勇氣和人類愛，以及辨別是非、批判、做決定和實踐力行的能力；是在發展價值觀，以及賦予智慧。

台灣的高等教育發展問題，就是不講精神面，講究學以致用。但學以致用的口號喊得震天價響，我們趕上鄰國日本了嗎？只要看我們的重大工程總是延宕經年，就知道這根本無關學問好壞和職業類別，而是做人的價值觀問題了。

我們的高等教育到底學什麼呢？我們在學校接受的多半是訓練，不是教育。試問「蠶絲學系」，養五公分的蠶要念四年大學嗎？在我看來，三個月就差不多了。這是訓練，不是教育；既然不是教育，就根本談不上教養了。

現在的台灣社會太庸俗、太功利了，就是因為教養不夠。教養是對人性的關懷、生活的認知及生存意義的看法；而訓練的目的在發展一技之長——達成任務的技能，與謀生有密切的關係，這就成為大家向「錢」看的基礎，認為能賺錢才是有用的。我曾經參加大專院校通識教育的評鑑工作，各校通識課程表面看起來辦的很好，事實上卻沒有深化；我發現，通識教育往往等於「營養學分」，原因就在於大家看不到教養的重要性。

現在四處林立的大學，開設琳瑯滿目的科系，變得愈來愈像技職院校，實在令人憂心。我不禁想問：台灣教育的目的到底是什麼？台灣的技術人才太多了，在先進國家的教育，技職學校是培育技術專業人員，大學教育則是培育時代的尖端人才，是「智」識分子，而非知識分子啊！一個「智」識分子，除了要有智慧之外，更要具備想像力及創造力；如果只有知識，欠缺想像力和創造力，就可能淪為廉價勞工。

每個人對社會都有責任

每個人的行為與文化會決定社會這個共同體的水準與內涵；因此，對於社會的現象，人人都要有責任感。

為了激發學生的想像力和創造力，我認為台灣的教育文化應該放棄畸形的填鴨式教育，而重視辯論的思考式教育；有知識和有智慧，兩者其實是互相截長補短的。我們說「錢要花在刀口上」；找刀口的智慧，就是靠教育來。

一九六一年，世界衛生組織宣布台灣為無瘧疾地區，這是因為美國洛克菲勒基金會（Rockefeller Foundation）出資買DDT在全台各處噴灑滅蚊，才有今日瘧疾絕跡的台灣；這就是將錢花在刀口上的智慧。該基金會的創辦人約翰．戴維森．洛克菲勒（John Davison Rockefeller）是美孚石油公司的創辦人，他成為世界首富後，就成立了「洛克菲勒基金會」，主要投資在醫療教育和公共衛生上；北京協和醫院就是這個基金會創立的。像這樣有智慧的慈善團體的精神，是我們要努力學習的。

思維與判斷力是判斷一個人有無教養的指標。一個有教養的人，就要能「君子有所為有所不為」，要明白自己做得到與做不到的事；做不到就絕不誇下海口、要能言行一致，做得到的也要有實踐力。有教養的人也一定會擇真善而固執，不會推諉責任。美國前總統杜魯門的辦公桌上有一則座右銘：「The Buck Stops Here.」意思是「責任推拖，到此為止。」眾人對政事可以推卸責任、互踢皮球，但推到了杜魯門總統這裡，就再也沒有推諉的餘地，他必須負起全部的責任。這就是教養。

有「台灣科技之父」美名的李國鼎先生，在他退休時，有朋友送他一首詩，說他這一輩子都在「圖利他人」。這個「圖利他人」在法律上是罪名，但仔細想想，無論各行各業，尤其是醫師、護理或者教育工作者，都一定要「圖利他人」，不是嗎？

達爾文在十九世紀中葉發表「進化論」時，提到進化的一個原則就是「自然的力量」；這種自然的力量會選擇比較強、比較能適應的生物體，這便是所謂「適者生存」，這是在動物社會的原則。但達爾文馬上就說，人的社會不可以如此，而是要「利他主義」（altruism）。他進一步說，如果一個社會不能利他並謀取共同的繁榮，這個社會一旦垮下來，受害的是所有的「你」，就是每一個人都會受害；反之，人人都能對社會有所貢獻，使社會繁榮文明之後，最大的受惠者將是自己。

社會就像是一個同心圓，有人性、政治、教育、藝術、文化、道德、倫理等等，自然而然像漣漪一樣產生出來；因此，每個人的行為與文化會決定社會這個共同體的水準與內涵。現代詩人艾青說：「長得不好看不能怪鏡子，要怪自己。」以此推之，如果我們的亂源是立法院的話，也不能怪立法院，因為選出立法委員的就是我們。總之，對於社會的現象，人人都要有責任感才行。

認識我們的社會

社會學是常識，人人都應該認識我們的社會，才能瞭解社會的現實狀況與需求。

人生的學習場所並非只在學校而已；事實上，生活的時時刻刻都可學習。相較起來，人的一生中，在學校的時間比起在家庭和社會來說，並不算長；所以，教育尤應注重家庭教育和社會教育。也許現在的孩子也一樣，當年我們在求學時，很多人都是不知為何而讀書；但因為聯考制度，很多不想或不適合讀醫學系或護理系的人，就這麼一試定江山了。有調查顯示，醫學系學生的自殺率偏高；我讀台大時，我們班七十人就有兩人自殺。

我在成大開過一門「醫學生涯」課，就是介紹當醫生是怎麼回事；我都會告訴學生，聽完一學期的課，若覺得自己不適合當醫生，就趕快轉系吧，不要再浪費七年了。就算念完醫學系或護理系，也還是個孩子；我們除了用愛的教育外，也得教會他們紀律才行；將來他們出社會工作，才不會有看錯病、拿錯藥的事情發生。

台灣人還常有個錯誤的觀念，就是將學習與上課畫上等號，這是不對的。有個大學教授退休後要到美國的史丹福大學進修，我就頗不以為然；都這麼大的人了，想學什麼到圖書館借書來讀就是了，一定得去上學才能學習嗎？人生又有多少時間可以上學呢？

我認為社會學是常識，人人都應該認識我們的社會。二〇〇四年，衛生署要我組織一個國際愛滋病防治協會的年會，結束前的壓軸由我做主席。最後的會議為圓桌會議，所有國內外的講者都齊聚一堂；一位從美國來的醫學系教授竟然直接說：「你們台灣人，社會上普遍都不懂愛滋病，根本沒在作防治！」這話說得我無地自容。他舉例說，他在台北期間去了三溫暖，店家送他的小禮物是香菸三根；「你們難道不曉得，有些三溫暖是男同志重要的集散場所，如果店主要送我禮物的話，裡面應該是三個保險套才對。還有，香菸會致癌的，你們不曉得嗎？」

這個理論讓我聯想到「酒後不開車」這句口號；我認為，應該改成「酒前不開車」才對，知道今天去餐廳會喝酒就不要開車前往，因為酒後才不開車就來不及了。根據調查，台灣人體內的酒精，有百分之七十是在外頭的餐館等場所飲用的，喝完才回家；但外國人剛好相反，他們是百分之七十在家裡喝酒，酒醉後倒頭就睡，相對地安全多了。所以，我們應該是「酒前不開車」——知道要喝酒就不要開車。

再觀察台灣的狗，牠們可真是進化論的代表呢！我們可以發現，台北市的狗很少在街上被車子撞死；因為，人停下來等紅燈變綠燈時，狗也會跟著停下來等。狗是色盲，牠們應該不會分辨紅綠燈才是；但只要號誌一由紅變綠，牠們就往前走了。我曾仔細觀察這個現象，發現狗其實是跟著旁邊的人；人一動，狗就跟著動了。沒有這項聰明的狗都被撞死了，自然沒有傳宗接代的可能，於是狗就進化了；這就是達爾文所說的「物競天擇」。

社會若是一個同心圓的話，正中最重要的核心就是生命觀和價值觀。據說，台灣有一百萬隻流浪狗在大街小巷中自生自滅。我在美國的時候養了一條狗；要從美國回台灣定居時，家人看到台灣滿街的流浪狗，就堅決反對把狗帶回來。台灣的狗那麼多，我們可曾反省，為何九二一大地震時，卻沒有一條救難犬？明知台灣隨時有地震，卻沒有訓練救難犬，還要遠從瑞典那個沒有地震的地方由救難隊帶來搜救犬。這是很值得省思的一個現象。

提升社會大眾的教養

我們必須將歷年的社會案件不斷拿出來反省和研究，才能瞭解社會教養的不足之處，痛定思痛，解決問題所在。

我們的社會教養足夠嗎？二〇〇〇年的八掌溪事件，四名工人於八掌溪河床上遭洪水圍困，苦等不到救援，最後不幸滅頂。為什麼沒有人去救呢？那四個人是否注定要死呢？根本不是！我就想過救那四個人的方法。

據說，那一天是因為國軍海鷗救難部隊沒人值班或聯繫不佳，偏偏又沒有抛繩槍，所以就救不了。我曾計算過，那四個人都是六十公斤不到，兩百四十公斤在那裡支撐了三、四個鐘頭，而一部雲梯車的重量多達二十公嘛。如果那天我們覺得四個人的性命價值可以抵過一部雲梯車，就可以犧牲一部雲梯車開到河床裡面，讓雲梯伸出去把四個人救回來。問題是，我們的社會認為這四個人的生命值不值得一部雲梯車的價錢？

SARS流行期間，馬偕醫院有位醫師至日本一趟，返台後高燒住院，被診斷出罹患SARS。事發後，日本政府的作法是，這名醫師所住過的飯店一律勒令暫時歇業，並舉行相關的防護演習；要是發現疑似案例，就會安排進入負壓艙再送進急診室。

沒多久，澎湖有對黃姓夫婦也可能感染SARS；但當地醫療設施不佳，必須後送到高雄榮總治療。從電視畫面上，看到他們身上穿著薄薄的雨衣和長筒雨鞋，不但自己小心翼翼地爬上船，還不讓他們進去船艙——因為那裡沒有負壓設備，就讓他們坐在甲板上。到了高雄，我以為高雄衛生局會派救護車去接他們，沒想到竟是讓他們自己坐計程車到醫院。這像話嗎？

「邱小妹事件」的同一年，又發生「宋品潔事件」。宋品潔想超車，不料跟對面駛來的一部車子相撞；結果，對方有一個六個月大的小孩死掉了，小孩的爸爸是一名黑道大哥。宋品潔是個普通人，他兩根肋骨跟大腿折斷而被送醫急救；根據醫師法，住院病人是要接受保護的。但是，這名黑道大哥竟然召集了四、五個兄弟大搖大擺地闖進醫院，把坐在輪椅上的宋品潔推出去；外面的警衛問他們要去哪裡？兄弟們回答要出去散步，結果就把宋品潔打死以後再送回醫院。

這起事件突顯出二個問題：第一，我們即使住在醫院，醫院仍無法保障我們的生命安全；第二，有人不相信司法，會動用私刑解決問題。同一年又有「劉小妹事件」，則是「邱小妹事件」的翻版。我們必須將這些社會案件不斷拿出來反省和研究；因為，研究並不限定在研究所或研究室，研究是一種生活的態度，不只是專業名詞。

以台灣和美國的大學醫學教育做比較。台灣的國中和高中加起來共六年，美國也是一樣。然後，美國是大學四年、醫學院職業教育四年，並沒有再實習一年；而台灣的醫學教育幾乎沒有預科，因為大家都不重視，充其量就是讀讀國文、近代史等，然後就是醫學專門教育。所以，我常對成大的醫學系學生說，這樣培養出來的醫生是沒有受過大學教育的，而美國的醫生是受過四年大學教育的啊！我們整個社會的健康交給這樣的醫生，可以放心嗎？

再者，在台灣常看到高高低低的房子屋頂上有成排的水塔，就有外國人不解，問我那些閃亮亮的大桶子是做什麼用的？當他們知道後，都不解地問：房子才四樓而已，為什麼需要水塔呢？在美國，五樓以下的房子是很少見到水塔的。我查了一下《大英百科全書》，發現水在美國是以一個人一天一百加侖的標準來供應的，水管裡面的水壓每平方公分要二點五到七公斤，這樣的水壓能讓我們住在七樓也一樣能沖水沖個痛快；即使發生了火災，以水柱滅火也不成問題。

管理水管的水壓這種事應該是政府的責任，但政府沒有做；而且，水管的品質低劣，一加壓就破裂，所以房屋漏水的情形很多。最後，老百姓買了房子之後，只好自己去裝水塔來解決；這就是自力救濟。所以，家家戶戶裝設水塔是因為政府無能而自力救濟；但大家都這麼做了之後，久而久之，政府就忘了它該負起的責任了。

養成閱讀習慣

教養書是能夠提升自我風格的書。要多涉獵專業領域以外的書籍，並建立良好的閱讀習慣，才能活到老學到老。

發現狂牛病的德國醫師齊葛思（Vincent Zigas）曾說過一段動人的話：「很多人常誤會，以為腦中可以裝多少知識就填進多少知識；但是，買一幢房子還得把它變成一個家，不但要有人住進去，還要裝潢它。有太多人腦袋裡裝滿了一大堆知識，但看起來卻像個沒受教育的人。腦袋中的知識應該用來進行批判，而教育真正的目的是在全人教育，要培養能夠將知識放在刀口上的人。」這段話和我所談的「生活與生存——談教養」完全不謀而合。

愛因斯坦曾說：「思考比知識更重要。」不過，要是愛因斯坦還在世，我一定會寫封信跟他說：「如果沒有知識，思考的範圍也就很狹小了。」林語堂說：「最好的學習途徑就是閱讀。」北宋四大書法家之一的黃山谷則說：「三日不讀書，便覺面目可憎，言語乏味。」

儘管我們無法預測所念的書、所得的知識何時能派上用場，還是要讀書。英國著名的金融專家華寶爵士（Sir Siegmund Warburg）在他的自傳裡提到，他一個禮拜平均要讀五本書，而這五本書裡很少包括金融經濟領域的著作。可見他的涉獵是又快又廣。

這樣的閱讀習慣是何時形成的呢？我不知道；但是，根據研究，一個人的閱讀習慣在小學四年級就已經成形了。大人也無須氣餒，「永遠不會太遲！」最好就從今天做起。

台灣不念書的人實在太多了！《遠見》雜誌曾進行調查，台灣人每年只花一千元買書。這真是令人痛心。我到一個人家裡，首先會注意他家有沒有書櫃或書架；我發現，沒有的人太多了！

哪一種書才能提升我們的教養呢？文學家林語堂認為，書有專業書、娛樂書、教養書三種，我則再加一種工具書——《大英百科全書》。林語堂還說，中國人看的書，要屬專業書最多；這可一點都沒錯，醫學院的學生看的全是專業書。報紙屬於娛樂書，可看可不看；台灣報紙的標題都下得很清楚，所以我都只看標題而已。林語堂以為，看娛樂書的功用在於與人閒聊時有較多話題；要是都不看娛樂書，別人可能會覺得你與現實世界脫離了。

最重要的則是教養書。十六世紀的法國散文家蒙田（Michel de Montaigne）認為，教養書是能使人活得有尊嚴的書。我個人的見解是，教養書是能夠提升自我風格的書，包括小說如《莎士比亞》、《紅樓夢》，還有魯迅、茅盾、巴金等作家的書，都能幫助我們從故事中的人物經驗得到啟發。因此，閱讀要涉獵專業以外的領域，例如，閱讀《臥虎藏龍》，就能領略到死亡的尊嚴、死亡的苦難、或是快樂的死亡；有時候死亡可以是快樂的，有人說是解放——從每天痛苦的生活中解放。這種種死亡的意義，就要從小說之類的書中獲得，而不是從醫護人員所讀的專業書中獲得。

若是沒有建立良好的閱讀習慣，想要活到老學到老是不可能的。我在進入台大就讀時，看到一班七十名同學中，個個聰明絕頂、才智雙全；五十年過去後，再看老同學，和一般沒有受高等教育的老歐吉桑沒有兩樣，這是因沒有維持閱讀和學習習慣。

我們看外國影片，不時會有這樣的情節：還不識字的兩三歲小孩，媽媽會在他睡前念一段床邊故事給他聽。這種好習慣，中國比較少見；現在受外國文化的影響，才慢慢形成風氣。成人要成為孩子的典範；爸媽為孩子讀故事，就是在潛移默化，從小培養孩子閱讀的好習慣。

以我接觸醫學生的經驗，我發現台灣的年輕人心中很少有學習的典範，面談時，男學生的典範十之八九都回答史懷哲，女生則幾乎都是居禮夫人。史懷哲和居禮夫人做為典範，那是當之無愧；但是，我們真的認識他們嗎？你真的知道他們的哪些行為和言論嗎？這些行為和言論具體影響了你什麼呢？

其實，讀書可以有讀書的典範、做事可以有做事的典範，人的一生可以有很多個典範，只要他們能夠具體地影響你。另一方面，每一個成人都要謙虛，都得謹言慎行；因為，隨時都有新生代在看著我們，我們很可能成為他們學習的典範。

先做文化人，再做專業人

人生基本上是漫長的；我們得先做好一個有教養的人，再慢慢學著成為一名專業人也不遲。

亨利．羅索夫斯基（Henry Rosovsky）是哈佛大學通識學院院長；他認為，知識分子（intellectual，我則喜歡譯為「智識」分子，表示兼具知識和智慧）應該具備下列條件：

一、能夠清晰地、恢宏地、敏銳地思考；能夠將自己的思想理念，透過語言文字有條理地、有效地和有力地表達出來。

二、對道德和倫理有相當程度的探索和思考的經驗，進而對道德和倫理的問題能夠瞭解、選擇和判斷。

三、除了對自己生長的社會文化有所瞭解之外，更能夠對別人的社會文化、過去的社會文化有所瞭解；換句話說，必須具有世界觀和歷史觀。

四、對物理科學和生命科學有相當程度的熟悉，因而能夠體會如何經由知識的增長，而認識和瞭解宇宙、社會和人類自己。換句話說，就是不迷信，能用科學的方法探究知識的來源。

台灣人實在太迷信了！曾有千面人偷了一部車子，車號是一一三二；喝下千面人下毒的飲料而死亡的人，死亡時間也正好是十一點三十二分。消息一傳出，這個號碼就變成簽賭的明牌了。甚至有一些重大案件尚未破案，據說是因為死者還沒有託夢所致。這真是太離譜了啊！

五、對某一個學門，或工程、或音樂、或外文等，有相當深入的學習經驗；透過知識深度的累積，培養推理、演繹、分析綜合的能力。

我常呼籲：要先做文化人，再做專業人。我雖然愈來愈感到人生匆匆，但也不得不說，人生基本上是漫長的啊！我們得先做好一個有教養的人，再慢慢學著成為一名專業人也不遲！

（本文為演講整理）

生涯發展與人際關係

思考個人生涯時，絕不能只想著自己，還要把整個社會狀況考量進去；所以，每個人都應該帶著社會使命感，多參與整個社會活動，多建立人際互動。人際關係既是我們的能力也是智慧，增進人際關係就可以增進人生的幸福和安全感。這正是一種良性循環啊！

⊙魏渭堂（中臺科技大學幼保系暨文教事業經營研究所副教授）

一個人的生涯究竟有多長？指的只是從出生到與死亡這段期間嗎？這是一個非常值得我們深思的問題。

相逢的緣分

若以時間為經、以空間為緯，在這經緯度的十字交叉點，我們有幸於此時此刻相逢，是多麼難得的榮幸，又是多少個盼望才能累積今日的緣分啊！

大部分人認為，生涯是指從出生到死亡這段期間。不過我想請問：呱呱墜地前，在媽媽肚子裡的這十個月，算不算生涯的一部分呢？偏偏，這是一個人生理發展相當重要的階段。媽媽要是每天早晚都抽一包煙，胎兒早產的比例將提高三倍；萬一媽媽不小心服下了不明藥物，也會影響到胎兒未來的發展。所以，在媽媽肚子裡的這十個月重要時期，是否也應該包含在內？

再者，離開人世後的你，還存不存在呢？請問：已過世的爺爺奶奶或者爸爸媽媽，他們還活在你的內心世界嗎？他們對你的影響依然在嗎？我想，大部分人的回答都是肯定的。此外，也許你還沒有孩子，也還未曾懷孕；但是，你會不會盼望你的下一代來臨？會不會想像他們的種種模樣？很多女生看到小嬰兒，就會忍不住地讚歎：「好可愛呵！」然後希望自己將來也能有一個那麼可愛的孩子。這個想像中的新生命，應該某種程度已經存在你的世界了。

那麼，生命究竟有多長呢？根據統計，二〇〇八年台灣人的平均壽命，男性是七十三點三五歲，女性則是七十九點零五歲；總之，我們所能掌握的生命長度，大約就是七、八十年吧！我們在思考生涯的發展時，除了這七、八十年之外，是否應該把之前和之後的時間也考量進去？

二十多年前，耶魯大學心理學教授布萊恩・魏斯（Brian L. Weiss）用非常科學的方式研究人類的前世和今生，然後出版了《前世今生》一書，在台灣上市後引起熱烈的討論。因此，再推得遠一點，若你相信有前世和今生，你的生涯規畫就不能只有這一生了。

我們的肉體生命只是活在現在這個階段；但是，生命自始以來，可能已經長達幾十億年了，那是經過多少世的輪迴啊？若以時間為經、以空間為緯，在這經緯度的十字交叉點，我們有幸於此時此刻相逢，多麼難得，又是多少個盼望才能累積今日的緣分啊！

席慕容教授有一首詩「一棵開花的樹」：

如何讓你遇見我　在我最美麗的時刻　為這
我已在佛前　求了五百年　求　讓我們結一段塵緣
佛於是把我化做一棵樹　長在你必經的路旁

陽光下慎重地開滿了花　朵朵都是我前世的盼望
當你走近　請你細聽　那顫抖的葉是我等待的熱情
而當你終於無視地走過　在你身後落了一地的
朋友啊　那不是花瓣　是我凋零的心

讀過這首既美麗又動人的詩之後，我再遇到任何第一次見面的人，就總會在腦海中閃過一個念頭：「為什麼這個人會出現在我眼前呢？」義大利教育家蒙特梭利（Maria Montessori）也說，她每次看到一個小孩子，就會想到：為什麼他會來到這裡？正因為時間是如此漫長、空間是如此浩瀚啊！能在這個時空交會，是多麼千載難逢的緣分啊！

生涯線上的你在哪裡？

有一位教授很不一樣，他把自己的位置畫在由生涯線的實線延長出來的虛線上；他說，他已經得了癌症，現在正好好活著多出來的每一天。

生涯發展有幾個特殊的現象。首先，都會是線性向前發展。其次，都會起起伏伏；所謂「人生不如意事，十之八九」，人生一定是起伏如波浪，但一浪會比一浪高，呈現向上提升的波浪狀態。第三，我們的生涯一定會和人、事、物發生關係；「人」是指周遭的家人、朋友、同學和同事，當然也包括自己；因為我們會看、會聽、有感覺、能思考，自己能和自己產生共鳴，而這是生涯中最重要的部分。生涯中也會和大自然的花草樹木等物在一起，還會跟我們的靈性在一起。人的死亡是肉體死亡，靈魂永遠存在；若你相信靈魂、相信前世今生，你不但會對今生的所有言行有所收斂，而且會儘量避免對別人造成痛苦和困擾。

十九世紀是工業革命，二十世紀是資訊革命，二十一世紀很可能就是靈性的革命。相信大家都有「突如其來的靈感」這種經驗，或者沒來由的默契。一念之間實在非常重要，所謂「山不轉路轉，路不轉人轉，人不轉心轉，心不轉念轉」；只要念頭一轉，你可以由喜歡一個人變成討厭他；再一轉念，又可以放下怨恨而原諒他了。念頭的力量非常大；一轉，一切就能變得不一樣了。

請你拿出一支筆，畫出一條線，代表你的生涯；然後請畫下一個記號點，表示你現在正處於那個點上。每次我請大家玩這個小遊戲時，發現大部分人都會把自己的位置就畫在這條線上頭。有人畫在起始點，說他正在迎接生命的開展；有人畫在線的中段，說他自己已經四十歲了，人生該走過一半了；有人畫在線的終點，說他的工作壓力很大，很想結束這個累人的工作狀態。有一位教授，他把自己畫在由實線延長出來的虛線上；他說，他已經得了癌症，現在正好好活著多出來的每一天。這樣的人生態度多棒啊！

更有趣的是，雖然大部分人都把自己畫在線上面，但有些小孩子就能不受拘泥，把自己畫在線的上方空白處；他說，他要看看人生在做什麼。也有人畫在線的下方空白處，說他要觀察人生百態。這種不把自己畫在線上面的人，多半特別有創意或特別有主見。不是嗎？有誰規定我們一定要好好地待在線上呢？我們的人生，該由我們自己決定。

你呢？你將自己畫在線上的哪個位置？

形塑生涯的三大要素

我認為組成人生的三種成分是能力、人際和命運。這三種因素的不同比例組合，就形塑出我們今日各人不同的遭遇。

前面說過，既然我們的生涯一定會與人接觸，那就無法避免人際關係；既然有人際關係，你可曾想過，你的所言所行是受誰的影響呢？以紅光為例，就能受深淺明暗等各種影響而變化成殷紅、赤紅、血紅、洋紅等；若再與其他顏色做不同比例的混合，便又是千變萬化的紅了。全家外出郊遊時，孩子總喜歡問：「媽媽，這是什麼花？」「野花。」「爸爸，這是什麼草？」「野草。」其實，有成千上百種花、草，豈只是一句「野花」、「野草」所能涵蓋的！

光的三原色是紅、藍、綠，顏色的三原色則是紅、黃、藍；我們眼睛所見的所有物質顏色，都是由這些顏色以不同的比例所組成。請問你的人生是由哪三種成分所組成的呢？這是很有趣的問題，也許大家的答案不盡相同，但不妨思考一下。我認為，組成人生的三種成分是能力、人際和命運；這三種因素的不同比例組合，就形塑出我們今日各人不同的遭遇。

現在，請你畫出三個互有交集的圓圈，每個圓圈各代表著能力、人際和命運；中間三個圓圈的共同交集之處，就是我們的人生。再逐一來看，人際圈和能力圈交集之處，可能發展成正向，也可能發展成負向；發展成正向就是「左右逢源」，發展成負向就成了「左右為難」。有些人能力非常出眾，但就是不討人喜歡，甚至四處得罪人，那就真是左右為難了。

人際圈和命運圈的交集處也可能發展出正向或負向；正向的叫「貴人相助」，負向的叫「小人陷害」。我們的生涯中都會有貴人，但也可能遇上小人。一般民間信仰認為犯太歲要去廟裡拜拜或點燈，是一種心理的支持。貴人可不一定非要有錢有勢有地位不可；在我們身邊擦身而過、幫忙掃地的清潔人員，或是幫忙拉孩子一把的過路人，都是我們的貴人，都應該對他們心存感激。

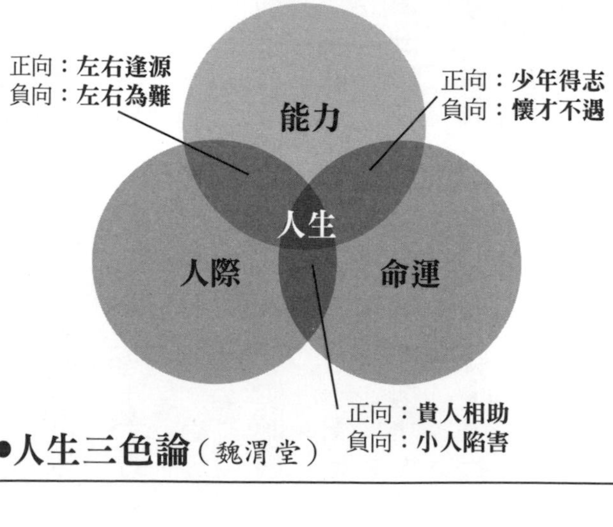

●人生三色論（魏渭堂）

在你的腦海中，能馬上舉出八位貴人嗎？請畫出一個正方形，中間再畫上一個井字，這九個格子；中間代表你自己，其餘的空格，請填進八個你認為最重要的貴人；也就是你今生最要去感恩、要去經營的人。這八個人中，最常獲選的是父母、兄弟姊妹、親朋好友，也有老師、情人、宗教領袖等。有人在危急的時候，喊的不是爸爸媽媽，而是佛菩薩和上帝，可見宗教力量的偉大；所以，宗教領袖也算是我們的貴人。

同樣地，命運圈和能力圈也會有交集，也可發展成正向或負向；正向的就是「少年得志」，負向的就是「懷才不遇」了。若你正是少年得志的幸運兒，可要切記不能驕傲，因為，驕者必敗。反之，若是懷才不遇也別氣餒，這正是你要懂得蹲下的時候；當你能夠蹲下去，再彈跳起來時，世界一定不一樣。蹲下時，正是修身養性的好時機；一方面要提升自己的能力，另一方面則該保持冷靜，避免與人衝突而時時內修自己；內修自己達到一定程度後，許多難題自然迎刃而解。若是始終靜不下來，不妨嘗試禱告、誦經，也許對你有所助益。

培養帶得走的能力

孩子若能從小培養出許多良好的習慣，這些習慣能跟著他一輩子，他就將受益無窮。

培養帶得走的能力，是我們現今教育最應該重視的部分。若你要小孩補習數學，整天花很多時間在解題和計算，這種能力帶得走嗎？「帶得走」的能力應該是思考而非計算。回想看看，你從國小、國中、高中一路學上來的那麼多數學，記得的有多少？在過程中培養出判斷力與思考力就很重要。

孩子喜歡玩電腦，代表他有吸收和統整資訊的能力，這是帶得走的能力；喜歡閱讀，這個能力也能帶得走。孩子若能從小培養出許多良好的習慣，這些習慣能跟著他一輩子，他將受益無窮。

從生活教育中訓練孩子的能力很重要。華裔美人趙錫成博士，育有六個女兒；他說，加上太太，他們家正好是七仙女。趙家的家庭教育相當成功；這七仙女個個傑出，凡事親力親為，表現絲毫不輸男孩。其中一女趙小蘭，在美國布希政府時代出任勞工部部長，成為華裔在美國政府職位最高的人。他們家的房子非常大，都是由女兒們親自收拾花園、清理游泳池，甚至門前長達一百二十呎的車道，也是她們自己動手鋪上瀝青的。

此外，趙錫成博士很好客，每當有客人來到家裡，六個女兒只要在家，一定會出來招呼；她們帶著開朗的笑容，恭敬地為客人奉茶。當在家宴客時，幾個女兒並不上桌，是守在客人後面，為大家上菜、斟酒。趙夫人朱木蘭女士說：「我們是在教她們做女侍，但那何嘗不是一種訓練！」我們現在的孩子需要為賓客服務嗎？機會恐怕不多了，因為現在宴客都到外面的餐廳，小孩子根本沒有機會學習，當然就不會了。

我們的孩子若能從生活教育中學習到勞動、活動、運動、安排事情的能力，這些都是一生帶得走的能力。依據韓德瑞克（Joanne Hendrick）的研究，兒童的發展有生理、情緒、社交、認知和創造等五大能力。另外，美國哈佛大學教育研究院的心理發展學家加德納（Howard Gardner）對腦部受創傷的病人進行研究，發現到他們在學習能力上的差異後，於一九八三年提出「多元智能理論」（the theory of multiple intelligence），認為每個人至少都具有語文、邏輯數學、視覺空間、肢體動能、音樂、人際、內省、自然觀察者等八項智能。現在則又有學者加上了靈命，即指品格和道德。這九項智能，也是我們九年一貫教育的基礎。

這九大智能分別是：

一、語文智能（linguistic intelligence）：有效地運用口頭語言或書寫文字的能力。具備良好的語文智能，就適合從事政治家、演說家、老師等職務；尤其當你具備外語的聽、說、讀、寫能力，就能帶著走而全世界走透透了。

能夠出去看看世界，眼界自是不同，心胸就可以更開闊。我之所以這麼說，是因為我曾有切身的經驗。

有一次，我到一家小素食店用餐，看到牆上貼著一張小小的告示，說要去為某位高僧大德祝壽的人就可以當場報名。我好奇地問老闆：「遊覽車滿了嗎？」我心想，要是還沒滿，我得再多找幾個人一起去。結果，那老闆的回答是：「八輛遊覽車早就滿嘍！」這也說明個人的認知與經驗，和實際情況會有出入，多與別人交流，才不會產生落差。

還有一位朋友打電話給我，說他從英國搬到法國定居，邀我去作客。我半開玩笑地問：「你房子夠大嗎？我要帶很多人去，有地方住嗎？」他只簡單地回答：「有啦！有啦！」「那是幾坪？」我問，他說：「五十甲。」原來，他買的是一個有三百年歷史的農莊，有獨立的供水系統等相關設備，在農莊裡來去靠的是騎馬。我當下覺得，我真是見識太狹窄了啊！

二、邏輯數學智能（logical mathematical intelligence）：能有效地運用數字和推理能力者，適合擔任數學家、稅務會計、電腦程式員等。人的一生都是在做決定的過程，而選擇和做決策則來自思考。所以，學數學的重點不在計算而在思考。

三、視覺空間智能（visual spatial intelligence）：也就是視覺影像能力，能夠準確地感覺視覺空間，並把所知覺到的表現出來。有人很會穿著打扮，有人是身穿名牌也顯不出價值；有人家裡的陳設令人倍感舒適，有人家裡貴重物品很多，但顯得雜亂無章。所以，視覺影像的能力相當重要。

四、肢體動覺智能（bodily kinesthetic intelligence）：善於運用整個身體

來表達想法和感覺，以及運用雙手靈巧地生產或改造事物；適合擔任飛行員、雕塑家、嚮導等。

五、音樂智能（musical intelligence）：具有察覺、辨別、改變和表達音樂的能力，適合擔任音樂評論家、作曲家、指揮家等。

何謂聰明？就是耳聰目明；「耳聰」就是能聽得見並且能夠理解，「目明」則是眼睛能看得到而且能夠辨別。有些人不僅能辨別，還能辨別得更為精細；例如，有些人就很善於察言觀色，有些人則對物品的辨別力特別強，也許就很適合當藝術品的鑑定專家。

六、人際智能（interpersonal intelligence）：察覺並區分他人的情緒、意向、動機及感覺的能力，適合擔任外交家、主持人、心理輔導人員等。與人交際的能力，其實就是與人和諧相處的能力。

你能自然地與老闆相處，或是只是忍耐地與他相處呢？身為媳婦的妳，和婆婆處得好嗎？曾有人跟我說他家有個守門員，乍聽之下，我以為她住豪宅，出入有警衛守護。後來，才知道她指的是婆婆；因為，他們全家人出門前，都要向婆婆報備並取得同意才行。這不僅婆婆本身很累，和她相處的家人也都累，但是，老人家年紀大了，要改變又談何容易？因此，我們現在就要修養自己，多微笑、多培養與人和諧相處的能力。

在工作場合中，你覺得工作表現重要或是人際關係重要呢？在現代社會，很多人都認為人際關係較為重要，這也是生涯發展中的重要項目。人際關係的好壞常與快樂指標息息相關；在生涯中把建立良好的人際關係列為著力要項，對增加人生的幸福感有絕對的加分效果。

七、內省智能（intrapersonal intelligence）：有自知之明，並能依此做出適當的行為。通常，自我實現者、宗教家和心靈導師都相當具備此種智能；簡單地說，這就是一種自我覺察的能力。

你能覺察到自己常是笑容滿面或是愁容滿面嗎？你常是說話的一方或是傾聽的一方呢？喜歡傾聽的人通常人際關係較佳。拿與孩子相處來說，通常比較會跟孩子打成一片的是爸爸，因為爸爸較不拘小節；有的媽媽，即使是在玩遊戲，也常要進行生活常規教育。例如，媽媽常會一邊陪孩子玩一邊說：「拿刀子要小心，會割傷！」「要玩槍，可不能以後真的拿槍射人呵！」「玩完黏土要洗手，上面都是細菌！」

八、自然觀察者智能（naturalist intelligence）：觀察、辨識和分類自然界動植物或人造世界的能力，代表人物則是生物學家、動物學家、農人等。這項智能是加德納在一九九五年所補充的。

請問：面對人和動植物時，你是用眼睛去觀察？或者是用心觀察呢？這兩者是截然不同的。

例如，有兩個小兄弟在爬山的途中蹲下來觀察螞蟻，然後興高采烈地對爸爸說：「爸爸！這兩隻螞蟻長得不一樣耶！」爸爸不屑地回答：「螞蟻長得都一樣，哪有不一樣的！」媽媽則嫌惡地斥責：「地上很髒呢！別蹲在那裡玩！」過了半晌，兩個孩子還繼續蹲著跟螞蟻玩得樂不思蜀，爸爸催促著說：「快走啦，不然上面的點心都被吃光了！」原來，爸爸只擔心最後的登山目標——點心，但孩子是要享受好玩的過程啊！我們的人生究竟該看過程或是結果呢？

九、靈性品格智能。我們雖然無法用科學的方式來檢驗靈性，但可以明顯感受到一個人的品格。我們常說要提升德育、要重視美德；請問，你懂不懂得分享？有個寓言這麼說：在天堂和地獄吃飯時都是大家圍在桌邊，並使用很長的筷子吃飯夾菜；在地獄的人用長筷子夾飯菜給自己，結果怎麼都吃不到；但在天堂的人則是用長筷子夾飯菜給對方吃，所以大家都吃得很愉快。

我也曾做過一個測驗，讓孩子閉眼對桌而坐，並在桌上放一種水果，規定孩子只要拿起水果，就要餵對方吃。第一次，當孩子張開眼睛時，發現桌上有一顆番茄，孩子多半願意拿起番茄餵對方吃；他們說是因為不喜歡吃番茄。第二次改成草莓，就發現大家都僵在那兒，因為每個人都想吃草莓，不想餵對方吃。第三次再改成櫻桃，僵持得更久了，甚至有孩子抱怨起對方總是不讓他吃。從這個測驗我們得知，要孩子分享實在不容易啊！

命運由大家共同創造

這個社會大家愈善良，人人的日子就愈好過；若大家都用創意和努力來建設發展我們的社會，我們的命運自然愈來愈好。

最後要談到命運。你認為自己的命好不好？命運分為「八字」和「公時」，後者就是佛教所說的「共業」。八字是你出生時便註定的。但是，宇宙間不只有你一人而已，你一定會與宇宙間的人事物和社會變化產生結合。例如，民國四十年代，算命師不會說你有出國的命，或你有想吃什麼就吃什麼的命；但台灣發展到今日，大多數人都能出國，大多數人想吃什麼就能吃什麼，這就是時代和社會的變化。

這個社會大家愈善良，人人的日子就愈好過；若大家都用創意和努力來建設發展我們的社會，我們的命運自然愈來愈好。若我們選正確的人來領導國家，國家自然愈來愈國運昌隆；而每個國家都是如此的話，全世界都將更和平、更繁榮。

因此，「公時」就是大家所共同創造出來的氣氛。例如，環保相當重要，當你把一個寶特瓶埋在泥土裡，要經過二百年才能完全分解；若是空氣和水都受到汙染，我們的命再好也沒有用。所以，公時和八字要互相配合。

台灣在民國四十年前，人民的日子並不好過，直到民國五十年代，用甘蔗換外匯，六十年代客廳即工廠，七十年代十大建設，將台灣的國力整體提升起來，八十年代以後開始持平。原本我們的國民所得是韓國的兩倍；但直到民國九十四年後，我們的國民所得原地踏步，而韓國已經超越我們了。

所以，我們在思考生涯時，絕不能只思考自己，還要把整個社會狀況考量進去。周遭環境實在太重要了啊！所以，每個人都應該帶著社會使命感。簡單地說，我們要多參與整個社會活動，多建立人際互動。在紐西蘭等先進國家，他們的志工比達到百分之四十，我們仍停留在百分之七，還有待提升啊！

而人際關係方面，在韓德瑞克和加德納的研究中，我們可以發現「社交」這一部分是相同的；也就是說，在兒童和成人時期的能力和智慧中，都有社交這一部分，這就是人際關係，它是我們的能力也是智慧。增進人際關係可以促進工作效率、完成團體目標，同時可以增進團體感情、產生個人的幸福和安全感，這正是一種良性循環啊！

（本文為演講整理）

點亮自己的心燈——如何開發潛能、掌握命運

每個人都有許多潛能，只是在成長過程中，被人不小心、不經意地埋沒了。今天，我們要學習點亮自己的心燈；換句話來說，就是學習當好命的人。其實，只要懂得如何開發自己的潛能，相信自己，就能夠掌握住命運，成為命好、福氣大的人了。

⊙吳娟瑜（國際演說家、作家）

在進入主題之前，請先為自己準備一段適合律動的輕快音樂，然後無拘無束、恣意暢快地愛怎麼動就怎麼動吧！

音樂一開始播放，請自然地做出洗澡的動作——洗洗你的頭、洗洗你的脖子、肩膀、背和腿部——把全身上下洗得乾乾淨淨。接著，請你擺擺頭、扭扭腰、踢踢腿，跳躍、旋轉、拍拍手，讓整個身心都輕快活躍起來。

從童年的歡樂中，找尋失落的潛能

你曾經為了什麼事開心得不得了？爸媽曾經為什麼大力誇獎你、老師當眾讚美你，讓你好生驕傲？找出你的快樂源頭來！那就是你潛在能力的園地啊！

然後，請換上輕音樂。閉上雙眼，連續三次深呼吸，讓身心慢慢舒緩下來。在這個過程中，請試著跟自己的生命做一次最親密的接觸。請把右手放在胸前，將注意力放在心靈的跳動上，感受著生命力的豐富。接著，再次感受自己的呼吸，感受生命的起伏正在告訴我們生命的奧妙。

請自問：這一生，我究竟在忙些什麼呢？每天走在熙來攘往的人群中，走進辦公室，走回家裡；在這樣的生活中，我究竟在追求什麼？請讓自己靜下心來，回到生命的中心點，好好探索自己，並尋找出點亮心燈的方法。

請再深呼吸一次，然後長長地吐出氣來。回想多年前的童年時光，你曾經為了什麼事開心得不得了？當時有誰和你在一起？你們正在玩些什麼呢？找出你的快樂源頭來，那就是你潛在能力的園地啊！爸媽曾經因為什麼事大力誇獎你好棒？或是老師當眾讚美你，讓你好生驕傲？這些都是你生命中最本質的部分，也正是你的潛能。

有人回想到童年的美好畫面是玩彈珠時，這很可能就是他的舞台——

他可能適合往球類運動發展，在打籃球、排球、撞球時，就能夠與童年玩彈珠時的快樂感受相連結。有人回想到的愉快經驗是塗鴨，在牆上、地板上隨心所欲地作畫，豈是一個「爽」字了得！如果他目前的工作能與童年時快樂塗鴨的感覺有相當程度的結合，相信工作的心情一定更加愉悅。

然而，總有些人礙於現實壓力或經濟考量，工作內容未必能盡如人意；無論如何，請在生活中儘量帶進這種童年的歡樂。因為，潛能可不只限於在工作上發揮；於日常生活中，我們也應該多發揮我們的生命潛能，你就會跟我一樣大呼：「成長真好啊！」

請再自問：那些美好的回憶、喜悅的感受，在目前的生活中出現過嗎？若有，我們該慶幸自己仍擁有幸福快樂；若是沒有，就要去追問生活中究竟出了什麼問題？

很多人的生活只停留在「生存」的階段，每天為填飽肚子而奔波忙碌；

我們的父母那一代都應該經歷過這個階段。如今，我們已慢慢走到「生活」階段了，也就是讓生命更有活力。現在，包括我在內的許多人，都十分希望能由「生活」更進一步走向「生命」的階段。

人人都有其生命特質；因為這些特質，我們配得許多我們想要擁有的部分；因此，我們必須找出這些屬於我們生命中的特有品質。例如，玩彈珠的高手，他長大後很可能就是具有市場通路、產品行銷等的敏感度，懂得一關打通一關、有著運籌帷幄本事的人。所以，我們要尋找自己的生命潛能時，就從童年時你玩得最開心、最拿手、獲得最多掌聲的部分開始吧！

當然，在尋找生命潛能的同時，你一定會問：原本就在我生命中的潛能怎會不見了呢？其實道理很簡單。你不妨回想看看，兒時的你玩得正起勁時，媽媽會不會說：「小寶，你怎麼坐在地上玩得髒兮兮？快起來，不要玩了！」或者爸爸怒斥：「你再玩玩看！這麼危險你還玩？再玩我就打人了！」這種回憶不陌生吧？也就是說，我們的潛能很可能就這麼被爸媽給扼殺掉了。

現在的你，是這樣的爸爸媽媽嗎？

再請各位爸媽想一想，若是你的孩子丟起湯匙，看能不能丟進前方的大碗公裡；或是使勁地踢出鞋子，一次次地把鞋踢得更遠。你能從這些動作中，看出孩子的潛能嗎？

生命中的潛能絕不只一種，每個人都有太多潛能了；但是，很可能就在爸媽或老師的教訓中被忽略、被埋沒掉了。因此，為人父母和師長者，需要特別謹慎小心於平常一句制止的教訓、或一個發怒的眼神，可能不經意間就此扼殺了孩子的一項潛能啊！

我所要強調的是，今天我們所認識的自己，其實很可能只是真實自我的百分之五而已。你能想像，如果你的潛能發揮到百分之百，那會是怎樣的你啊！我們是不是應該更積極尋回那失落的或是尚未開發的百分之九十五的生命潛能呢？

《紐約時報》曾有一則報導：有一名病人因車禍受傷而癱瘓在床已有六年之久；有一天，他隔壁床的病人不知為何突然跑過來要打他，這位癱瘓臥床的老兄居然在情急之下跳下床奪門而出，可見，我們的生命中藏著多少我們不知且無法預估的能量啊！希望我們每個人都不必等到那樣緊要的一天才知道自己的潛能，而是平時就能多加留意、多加探索充滿奧妙的生命能量。

相信自己、感恩逆境，就能開發潛能

能相信自己，生命中的能量和機會就會自然產生。我們能夠發揮若干才能，正是因為人生中遭逢多次的困難和挫折，才逼得我們把潛能發揮出來啊！

有一個原住民孩子，長得特別瘦小，瘦到他連看到自己細長的影子都會害怕，認為是有什麼惡靈跟著他、要欺負他；不消說，這個孩子一定十分沒有自信。而當一個人愈是害怕別人欺負他時，別人就愈喜歡欺負他；就像你愈怕流浪狗，流浪狗就愈會對你猛吠一樣。

有一天，孩子的祖母給他一根骨頭，告訴他這是老祖宗世世代代傳下來的護身符，只要戴上它，別人就不敢欺負了。孩子聽了祖母的話以後，便信心十足地戴上骨頭，從此走起路來抬頭挺胸、虎虎生風，果真再也沒有人敢欺負他了。

請問，是孩子本身、或是他的祖母、或是那根骨頭給孩子勇氣的？這勇氣當然是來自孩子的信心！當他相信他能不被欺負，他就辦得到了。你相信自己有很多潛能，能完成許多現在辦不到的事嗎？當你能相信，你生命中的能量和機會就會自然產生。所以，最重要的是：我們必須相信自己，請將生命的主權交給自己。

有時，逆境卻也能成為激發潛能的機會。我聽過這麼一件事情：有很多艘遠洋漁船到外海捕魚，但捕捉到的魚群全都奄奄一息，卻有一艘船的漁貨特別鮮活。大家納悶怎會如此，就到那艘捕得新鮮漁獲的船上去一探究竟。結果，他們發現這艘船的漁獲裡有一條凶猛的大魚，牠在魚群中到處亂竄，逼得其他小魚繃緊了神經地游個不停。這就是這些魚群活跳跳的原因。

我們今天能夠發揮自己的若干才能，正是因為人生中遭逢多次凶猛的惡魚、遇上多少困難和挫折，才逼得我們把潛能發揮出來啊！因此，我們真應該感恩這些刁難我們的人啊！

伸展身體空間及調整情緒鏈

日常生活中，我們就要把握機會延展肢體，拉開身體的自由空間，自己的潛能才能發揮出來；此外，還可以運用情緒鏈調整法調整負面的情緒，開闊自己的人生格局。

要開發生命潛能，可從外在追尋和內在探索做起。如何向外追尋呢？不管你相不相信自己的生命很開闊，只要你願意讓自己的生命更加開闊就行了。

首先，你得讓自己的身體空間更加自由，把身體的格局伸展開來。大多數人在別人面前總會害羞而不敢自在地伸展肢體；久而久之，就把自己的生命空間限縮起來了。所以，我們首先要解放自己的肢體。

同樣地，你可以播放輕快動感的音樂，隨著音樂的節奏，大大地伸展肢體；動作愈大愈好，甚至可以邊跳邊大聲歡呼。如果可能，請在眾人面前自由地、愉快地進行這項練習，結束後再給自己最熱烈的掌聲。

若是這樣還不過癮，請在原地盡可能地跳躍，跳到最高點時大聲喊「YA！」如此重複數次，你一定會大呼過癮；之後，相信你一定能明顯感受到身體的空間更加開闊。其實，在日常生活中，我們就要善用時間和空間，把握機會延展肢體，這等於是拉開我們身體的空間；此時，我們的潛在能力才能發揮出來。

除了向外開闊自我的身體自由空間之外，向內則是從情緒抒發做起，我所要介紹的方法叫做「情緒鏈調整法」。所謂情緒鏈是指，當你碰上曾讓你感到痛苦的人，你就會和曾有的痛苦產生連結，進而發出痛苦的訊息。我們常常自認「應該」、「不可能」、「需要」、「不如」……這些五花八門的想法何其多，卻往往受到現實狀況的不允許而影響內在真實的想法。

試想，你在家裡或職場上，常感到不快樂嗎？若是，請再進一步想，當你想到哪個人時，這種不快樂的情緒便油然而生呢？舉個例子。有人在分享時，說是爸爸讓她感到無奈和不快樂。她說，因為爸爸是十分傳統、沙文主義型的大男人；國中二年級時，爸爸居然跑到學校，當著全班同學的面，要她的同學們都不准再打電話找她。從此，她的內心就對爸爸充滿了怨恨。

我們每個人都具備很多能力；但很奇怪地，只要在這個讓我們感到不快樂的人面前，我們就會顯得笨手笨腳，甚至結巴、說錯話，愈想表現自己就愈是表現拙劣。

這就產生了一個情緒鏈：看見威嚴的爸爸→望而生畏→聯想起爸爸曾經不准同學來電→產生怨恨→和爸爸保持距離→遇到爸爸就顯得笨拙→能力無法發揮出來→益發感到痛苦……

她要如何解套、從對爸爸的痛苦情緒中解脫出來呢？她不妨找一位外型和爸爸相似的人，將他當作爸爸，告訴他曾經做了哪些讓妳不快樂的事，把長年積壓在內心的不滿全部發洩出來。然後，請改變這些年來對爸爸的冷漠態度，改用熱情的、撒嬌的方式來和爸爸互動，向爸爸說出心底話或是將來的夢想，尤其是希望爸爸對待自己的方式。

經過如此反覆練習幾次後，有一天，認為時機成熟了、心理準備妥當了，就能找爸爸一起坐下來聊聊，並且勇敢地對他說出心裡真正想說的話了。

但是，也要請她站在爸爸的立場想想，他是不是很擔心女兒呢？擔心女兒被騙、擔心她交友不慎、或是擔心她不能安心讀書而考不上高中？若能設身處地為他人著想，更有助於情緒的調整。此外，溝通時不妨以關心爸爸作為開場白，關心他的工作、健康或是有什麼不如意的事等，將有助於更順利地進入實質的溝通中。這一整套過程，就是「情緒鏈調整法」，亦即藉此可切斷不愉快的情緒連結。

我們都要練習並學會點亮自己的心燈。「情緒鏈調整法」是開發潛能中極為重要的一環。我們天天都應該運用這個方法來調整壓抑的、負面的情緒，尤其在職場中面對老闆時更須如此，工作定可更為順遂。以此類推，當然也能創造出新的、好的情緒鏈，來更加開闊自己的人生格局。

以「心相法」創造正面力量

只要你認為某件事很有挑戰性，就可以用「心相法」先在心中創造出一個愉快的景象，先給自己充分的自信和勇氣，這樣的力量就能為事實帶來正面的效果。

對莘莘學子而言，壓力的最大來源應該就是考試了！大考小考接二連三，心情實在不輕鬆。有人一想到考試，腦海中就浮現「滿江紅」的畫面，緊接著就要心驚膽顫於老師的斥責和處罰，回到家又要怎樣和面色鐵青的爸媽交代呢？一連串的負面情緒，就因考試而連環引發。

下次面對考試時，請用「心相法」消除對考試的壓力和恐懼吧！例如，明天要考英文，於準備功課及睡前，就想像那張考卷映入眼簾，然後每一題試題你都答得得心應手，老師很輕鬆地打上一個個紅色的勾勾；若你的理想分數是七十分，就把批於卷頭的七十分放大再放大。然後，你拿到這張極為滿意的考卷，做出你所能表現出的最欣喜若狂的動作。

或是有人很盼望得到一個ＭＰ３，但始終不敢跟媽媽開口。這時，不妨想像自己有一天真的擁有了ＭＰ３，並且戴起墨鏡和耳機，很時尚地走在路上一路聽著喜歡的音樂，感覺自己走路有風的神氣模樣；不但當下就能感受擁有ＭＰ３的美夢成真，若因緣際會說不定還能心想事成呢！

又例如，有個男生想追求妳，而妳並不想接受他的追求，也就可以用「心相法」在心中先演練幾遍，要能明確地表達拒絕之意；但切記不要傷了他的自尊心，要為他保留一點尊嚴。

有人想用「心相法」想像自己中了樂透，那無可厚非；但除此之外，生活還得要靠平時的努力。「心相法」最大的功能，在於創造一個情境，增加自己的信心，務實的努力與行動仍是不可或缺的。

不管你過去的人生是彩色或黑白，也不論你經歷了多少挫折和失敗，從現在起，當你要去見一位客戶、或是與主管面談、或參加考試或徵選，只要你認為這件事對你很有挑戰性，就可以用「心相法」先在心中創造出愉快的景象；先相信自己，給自己充分的自信和勇氣，這樣的力量就能為事實帶來正面的效果。

人生中難免遇上挫折和阻礙等重重考驗，或者不知如何去追尋我們所想要的部分；但是，每個人的心裡都很清楚自己想要的東西，只是因為忙碌等因素，而忽略了傾聽自己的心裡到底要些什麼。這時候，就可以透過「心相法」來瞭解，並藉此敞開生命的格局，勇敢去追求想要的部分。

每個人都有許多潛能，只是在成長過程中，不小心、不經意地被埋沒了。今天，我們要學習點亮自己的心燈；換句最生活的話來說，就是學習當好命的人。很多人不瞭解自己，轉而透過算命來瞭解。其實，只要懂得如何開發自己的潛能，相信自己，就能夠掌握住命運，成為命好、福氣大的人了。

當然，首先要定義何謂「好命」。最多數的說法一定是身體健康、過得幸福快樂，其他還有一路平安順利、無憂無慮、身心自在、能幫助別人等，這些都是不錯的答案。而我個人認為，一個好命的人就是「每天可以不斷成長的人」。若以此為標準，你是不是一個好命的人呢？若你認同這個標準，那麼，再遇上任何的考驗使你成長時，你必定會帶著感恩的心而歡喜承受了。

我們從「生存」走向「生活」，現在要更向上提升至「生命」的階段了。生命品質的提昇，便是來自於你願意給自己機會，讓自己不斷調整、修煉、提升至更美好的境界；生命的品質良好，生活的幸福感自然就增加。

而我們要開發潛能，向外要解放肢體的拘束，開闊身體的自由空間，向內則有兩個重點，一是「情緒鏈調整法」，藉以切斷與過去不愉快感受的連結，如此才能點亮心燈；另一則是採用「心相法」，相信自己能過美好的每一天，每天都有很棒的機會進行美好的學習。因為平時的努力加上心的想像，好機會就可能這麼上門了。

請再準備一段優美的輕音樂。當音樂一流瀉出來，請輕閉雙眼，想像你正徜徉在青翠廣闊的大草原上，甩開腳上的鞋子，赤足在草地上或散步或奔跑，享受人生中最無憂無慮的時光；你仰望蔚藍的晴空，眺望遠山起伏的稜線，腳下踩著翠綠柔軟的草坪，再聞一聞青草和花朵的芳香，感受到生命的每一刻都是這樣的歡喜自在。就這麼讓喜悅的感覺包圍著你；然後，想像你的潛在能力正一點一滴地釋放出來了。

接著，請再深深地吸一口氣，再慢慢地吐出來，享受每一分清新的空氣、每一刻快樂的時光。在這樣的生命裡，再也沒有什麼不可能了，因為你願意給自己機會，你全心全意地感受到這樣的自由自在和通體舒暢。最後，張開眼睛時，請心滿意足地說聲：「我感覺真好！」

我的三大改變與成長

先從自己做起吧！當對方指責你時，請虛心接受，並感恩他指出你的不是，讓你再有成長的空間。

各位也許很難想像，我原本是個性相當退縮的人，總是怕做錯、擔心自己不夠好，懷疑自己的聲音總不時在心中響起。

我有一位對我非常慈愛的爸爸，總是呵護著、寶貝著我；對我而言，爸爸就像我的守護者一般，即使我已經嫁出去了，只要有任何困難，他都立即儘可能地幫助我。我就這麼一直在守護者的懷抱中成長，也因此一直長不大，養成了過度依賴的個性。

直到三十多歲時，我的婚姻關係不斷產生磨擦，我開始反省自己，才發現原因就在過度依賴爸爸的呵護，這會造成個性成長上的障礙。於是，我開始練習承擔自己的責任，真實地面對它們。在這個過程中，我給自己三個改變的功課：第一，改變我的語言方式。我發現，當我說我很不舒服、感到虛弱時，那個不舒服和虛弱感就擴大和加重了；這是因為，我們所說的話會影響到我們的生命能量。當你不斷質疑自己：行嗎？能嗎？做得到嗎？你的潛能就被逐漸埋沒了。所以，我將我的語言模式全部改成正向的——我相信我可以！我一定要做！我一定要努力！我下次一定要做得更好！

我也學習開放心靈、克服制約、挑戰自己，在街頭、在大庭廣眾前，大聲對自己說：「Yes! Yes! Yes! 加油！加油！加油！」這也是語言的正面力量。我今天能夠從容地面對大眾演講，其實是和自我奮鬥了二十年的結果啊！換句話說，一個人要經過千錘百鍊、努力不懈地達到自己想要的境地，至少要經過漫長的二十年啊！

不僅對自己運用語言模式的正面力量，我對別人也是如此；我總是安慰鼓勵別人，要他相信自己一定能成功，要為自己加油！而當我說出正面的話語時，我周遭的生命能量就全是正向的了。

其次，我改變了思考模式。過去我會自怨自艾，認為命該如此也無能為力了，尤其長輩常對我說「都三、四十歲並且結婚生子了，就好好照顧家庭，不要再無謂的空想，要認命。」當然，長輩是基於愛護之心才會說這些話，但我們必須很清楚自己要什麼。於是，當我遇到挫折失敗時，我就會舉起手，大聲對自己說：「太棒了！別人都沒遇上，卻被我遇到，我又有成長的空間了！」我就是用這些話在不斷地改變我的思考模式。

第三，我改變了我的行為模式。最簡單的就是肢體行為的改變，而行為改變之後，感受就會跟著改變。當你嘴角下垂、彎腰駝背時，一定感到不舒服；但當你大聲喊出：「YA！YA！YA！」時，不消一分鐘，心情一定跟著 high 起來。所以，當我失意沮喪時，我一定放音樂，讓自己跟著輕快的旋律舞動起來，這也是情緒鏈調整法的運用。

今天，我最大的願望就是要做到第一等的國際演說家，並以此為終身志業。懷疑嗎？如果別人不認同，就表示我還有成長的空間，我一定盡最大的努力充實自己，然後把我的經驗和所學與大家分享。我相信，有自信的人，潛在能力就容易開發出來。

家庭關係的經營由自己做起

人與人的相處就像照鏡子一般，你對他咄咄逼人，他一定怒氣衝天；你對他溫言軟語，他的反應一定是心平氣和。

我還要跟媽媽們分享的是，我從前是個「橡皮擦媽媽」——跟在孩子身邊，孩子做什麼，我就糾正什麼。直到有一天，孩子下課回家見到我，劈頭就說：「媽！我恨妳！」剎那間我受到極大的驚嚇，覺得很是不解：「我這麼愛你！你竟然說恨我！」後來他才說：「我有一題數學算錯，妳沒幫我檢查出來，害我被老師打手心！」這下子我終於恍然大悟了：就因我對他太好，幫他把功課檢查或訂正得一清二楚，以致檢查功課變成是我的責任，他根本沒想到該由他自己負責。瞧！天底下就有我這麼呆的媽媽啊！

經過這樣的大徹大悟後，我對孩子說：「從今天起，媽媽不再幫你檢查功課了；以後，你功課的對錯、好壞，你必須自己負責。」我要負責的部分只是檢查聯絡簿，確認他的功課項目是否全數完成。我還對孩子說：「以後你要是有什麼東西忘了帶去學校，那也是你自己必須承擔的，我不會再送東西到學校給你了。」當然，如果孩子哀求說這樣會被老師打手心，做爸媽的一定於心不忍，但千萬要沉得住氣。一開始或許可以循序漸進地慢慢放手，但絕對不能把孩子應負的責任攬在自己身上。

這種方式也適用在孩子早晨的賴床習慣上；不必擔心孩子遲到受罰，要放手讓他們去學習自我承擔後果，孩子的壞習慣才有可能徹底根除。

至於如何鼓勵孩子呢？我從前也不懂得隨時鼓勵的道理，但自從決定改變自己的那一天起，我一進家門就高喊：「寶貝兒子啊！快來給媽媽抱抱！」兩個念高中的孩子嚇得退避三舍，還直嚷嚷：「好噁心！好噁心！」但我不管，萬事起頭難，抱過第一次後，後來我們非常享受這種肢體的接觸。

而當我開始讚美孩子「哇！你好棒」時，大兒子還會回我說：「媽！妳一直這樣說，讓我很不習慣！」這是因為我以前不懂得鼓勵他們。後來我也做了修正，誇獎孩子時，要能「就事論事」，不能只是浮誇的稱讚而已，那就失去鼓勵的意義了。

請記住，孩子都是看著爸媽的眼神長大的；爸媽怎麼看孩子，孩子就會怎麼看他自己。當爸媽用信任的眼神看著孩子，並對他說：「我相信你會做得更好！」爸媽愈是相信孩子，孩子就愈能相信自己能夠做得好。

教育孩子不只是媽媽的責任，爸爸的角色也很重要。很多人都認為我的婚姻一定很幸福；其實，我們也和一般的夫妻一樣，在相處上、尤其是對孩子的教育方式上，有很多的出入和磨擦。

起初，我的個性十分依賴，有事沒事都常打電話給先生問意見。這個階段，先生和我是一加一等於一，因為我這個一不見了；其中，我有三分之一是興趣不見了，三分之一是朋友不見了，其餘的三分之一是人生目標不見了，完全依附在先生那兒。我對先生的愛等於是寄生之愛，也難怪我愈是要黏著先生，先生愈是想辦法遠離我。

然後，我們的婚姻關係進入了第二個階段，就是我老伸手向先生要錢，強迫他要把所賺到的每一分錢都如數交給我。這時，我們的關係是對立加對抗，也就是一加一等於零了。我們互相抵消，包括健康、財富和人際關係都產生極大的耗損。

到了第三個階段，我找對方向和方法來正確地成長了，最重要的便是人格要獨立、經濟要獨立、情感要獨立。這種獨立並非對抗，而是將自己的生命品質提升起來。此後，先生要去打球，我就很開心地讓他去運動、強健體魄；先生要去爬山，我不樂此道，就去書店看我的書。散步則是我們共同的興趣，我們會一起散步，賞月談心。

換句話說，此時的我們各是一個完整的圓，有各自的興趣和嗜好；不同的部分我們彼此尊重，相同的部分我們共同參與。我們的生命是一加一等於一加一，彼此還是各自獨立的一，並不會因為有共同交會的部分就各自缺了一角。我們彼此相愛，而相愛的方式就是鼓勵對方發揮生命潛能。

當夫妻的一方會想控制另一方，往往是因為心裡有某種害怕；唯有當我們拿掉這個害怕的部分後，雙方才能獨立地共同成長。

談到這裡，一定有人要抱怨：「我要成長，但我的另一半不想成長，那該怎麼辦呢？」當然，夫妻能共同成長是最理想的，因為雙方的潛能和能量能夠源源不斷地彼此激發出來；但很多時候，夫妻中只有一方願意成長。請記住，人與人的相處就像照鏡子一般，你對他咄咄逼人，他一定怒氣衝天；你希望他溫言軟語，你一定得先做到心平氣和。

就先從自己做起吧！當對方指責你時，請虛心接受，並感恩他指出你的不是，讓你再有成長的空間；不要急著辯解，那極容易就演變成針鋒相對。先求關係的和緩，彼此才有成長的機會。

最後，謹送給大家兩句值得省思和自我惕勵的話，這也是點亮自己的心燈——開發潛能、掌握命運——的關鍵：

——做對選擇比努力更重要。

——好想法、好行動，才會有好結果。

（本文為演講整理）

生命之美——從詩的意境談起

春天的雨，夏天的風，秋天的雲，冬季的雪；
愛情的憂鬱，日子的清亮；
都讓我們回到詩，回到詩的世界……

⊙南方朔（作家、社會評論家）

台灣目前的政治狀態，常叫人「愛之深、責之切」，身為一個文人，在亂世中不得不針砭時政；然而，於針砭之中，也要用詩來拯救自己。

我從小就對詩萌生極大的興趣，不但讀詩，也寫詩，初中時便在《幼獅文藝》發表詩作；直到大學，我不寫詩了，但開始寫讀詩的筆記。後來擔任新聞工作，接觸政治、社會、經濟學等，但從未停止讀詩；光是平日所閱讀的各國詩集，就佔去兩大長排書櫃。並持續在報刊雜誌上發表讀詩筆記，至今已集結出版了四本著作，都是在推介英美詩作，也應該會繼續寫下去。

我本身熱愛讀詩，也喜歡在文章中譯寫、引用外國詩；沒想到，就這麼意外地榮獲了二〇〇五年的年度詩人獎。朋友們都說，是因為我鼓勵讀詩有功！雖然不寫詩，但我讀詩、譯詩、傳播詩，並以此為畢生之樂。現在正是詩復興的年代，我則是樂於扮演搖旗吶喊的角色。

詩人是未來的立法者

一個新時代的到來，西方詩人總是特別敏銳；他們的詩作成為新時代的開路先鋒，為未來制訂許多規則，關心可能出現的問題，更會倡導許多價值。

我從小滿愛讀書，也算是滿會讀書，而讀書就一定會讀到詩。一開始，是讀中國古人寫的古詩，後來讀到現代人所寫的現代詩；及至更為年長後，我才開始讀外國詩；舉凡希臘時代、羅馬時代、英國人和法國人的詩，只要能翻譯成英文的詩，我都能讀，也很愛讀。透過這些閱讀，我慢慢發現到，詩和我們原本所想像的，似乎不太一樣。

中國人的讀詩、寫詩，較偏重於感性；不論古代或現代，乃至現在很多台灣詩人所寫的詩，都是感性類偏多，也以內心獨白居多。中國詩有很長的傳統，最早是從老百姓開始寫詩的，多在反應老百姓的痛苦，這從《詩經》就可以看出來了；後來才納入文人系統裡，多表現在對文明教化的感受，或是作為一個文化人的抒發，乃至於作為文化人的酬對媒介，所以酬唱詩特別多。到後來，還是有很多詩在談人生道理，這類哲理詩到了後期相當發達。此外還有田園詩、民間詩，以及抒發個人情感苦痛的詩等，但比較少談及公共事務。

日本也有和歌和俳句，都非常簡短；前者是節奏為五、七、五、七、七共三十一音的短歌形態抒情詩，後者是以五、七、五共三句十七音組成。兩者都有音韻、有節奏和意象，每一首都有一幅很乾淨的畫面，這跟日本獨特的繪畫傳統和美學觀是一脈相傳的，以畫面乾淨、意象純粹取勝。

西方詩就很不一樣了，他們的詩有著很強大的傳統，就是以詩說理、以詩論政；他們當然也用詩來談哲學和感情，所以能看到西方詩的面貌有史詩、敘事詩、哲理詩、抒情詩，幾乎無所不包，非常豐富。似乎西方人的詩所觸及的範疇較為全方位，較我們要開闊很多。正因如此，當一個新時代到來時，西方詩人總是特別敏銳；他們的詩作成為新時代的開路先鋒，為未來制訂許多規則，關心可能出現的問題，更會倡導許多價值。因此，德國著名的哲學家尼采才會說：「詩人是未來的立法者。」

到了近代如六〇年代，已經較少人讀詩了，大家改成唱歌，搖滾樂於焉興起，於是又有人說：「搖滾樂是未來的立法者。」因為從搖滾樂的歌詞和表現方式中，在在預告了一個新的時代和新的價值。

近年來，西方又流行一種新音樂——饒舌歌（rap）。我個人並不喜歡聽饒舌歌的音樂，但很喜歡看饒舌歌的歌詞，發現它們有如後現代的詩，傳達出很多不同的訊息，例如族群衝突與融合、仇恨的產生、落拓者的新生等，也是預告著一個弱勢者的時代來臨；這又是一種新的表現手法，所以饒舌歌也是未來的立法者。並且，美國詩學界已經公認美國rap是美國當代的新種詩歌，美國大學的教材也都收錄許多rap歌詞，作為學生上課的詩學教材。

詩人總是走在時代的尖端；他們注重以強烈的情感作為美學經驗的來源，追求個人風尚、崇拜自然、推翻過去不合理的制度等。同時，詩人也總是有一種獨特的敏銳，能夠感覺到一個新時代的到來，而在意識上創造一種新的時勢來取代舊時勢。

總之，詩具有「未來的指標」、「未來的立法者」等意義。有詩人說：「詩是一種靈魂的獨白。」正是因為歷史錯過我們的靈魂，所以透過詩把靈魂流傳到現在。還有一位詩人指出，現代人周邊的事情太多了，於是我們生活在一個例行化、庸俗化、平淡無奇的社會裡，我們的感覺已麻痺，只能針對歷史給我們的刺激做出例行的反應，而無法在感覺上提升到詩的層次；然而，唯有詩能讓我們這種已經麻木的感覺可以活回來。

不只是詩人，很多人都說過類似的話，包括哲學家及政治家。英國前首相柴契爾夫人，她的施政我不喜歡，但她喜歡詩的這一點我倒是很欣賞。她曾經在接受記者訪問時說過，像她這樣的政治人物，每天至少有五場演講，到後來，一聽到又要演講就頭痛起來。後來，她想到一個辦法，就是背大量的詩；當演講得不耐煩時就想想詩，心情就會舒坦多了。她也常在演講中引用一兩首詩句，用精簡美麗的語言來切中題旨，整場演講就生色許多。她說：「在這個時代，政治已經很平庸了，我們只能用詩來拯救政治。」

詩是文字的鍊金術

詩人們殫精竭慮地錘打文字，創造意象，豐富字裡行間的信息容量；還必須豐富語言的聲音想像，讓每一種情緒都找到可以歸屬的語言介面。

不論任何民族，早期的記述多以簡潔的韻文為主，這不是沒有原因的。從我們的文明發展過程就能得知，一開始，人類只能發出幾個簡單的聲音，並沒有文字。後來，慢慢產生文字，也是從簡單的符號開始。接著才把聲音加以歸類，然後以文字代表出來；一開始的字也是非常少，後來才慢慢變多。

因此，早期的文明，人們藉傳遞訊息來互相溝通；但因所創造的語言字詞有限，他們能夠理解、描述以及駕馭的世界也同樣有限，使得古代人只能進行簡短的溝通，而無法長篇大論地進行描繪與陳述。這也使得他們的記述風格顯得古樸，文詞裡的空隙和聯想空間較多，並特別注意音韻上的重疊補充強化，這是為了便於念誦、傳述和記憶。

我常說，老子的《道德經》五千字就講完了，另外，再看早期的中國典籍如《尚書》、《詩經》或《楚辭》，都是非常簡短的四個字或六個字所構成。到了春秋戰國時期才加長了些，例如《論語》，卻也是簡短的語錄式對話。直到漢朝，才開始有長篇大論的經典；因為漢朝歌舞昇平，詩人眾多，大家開始探討文字和觀念，可以討論複雜的問題。此時的文字文明算是達到一個高峰。

荷馬史詩也是如此，《伊利亞德》有一五六九三行，《奧德賽》有一二一一〇行，都是厚厚一大本。這兩部史詩源於古代傳說的口頭文學；但荷馬本身是盲人，不可能去閱讀這些詩，就是靠背誦的方式把它們全部背出來而整理成集的。要背誦，就必須藉助旋律、節奏和押韻等形式來方便記憶。

早期的這些作品，都是為了讓別人和自己方便記憶，而透過詩的方式把一個時代人們需要得到的訊息累積起來，再緊湊地放在一起；這種邏輯，許多非洲國家現在仍可尋得。因為，他們之前可能被其他國家統治過，所以會說英文、德文、法文等，但他們的原住民會說屬於他們自己的、沒有文字的母語。他們有自己的史詩，有自己對植物的命名、社會的倫理規範、家族關係、古老傳說等，全都是用這種只有聲音、沒有文字、能夠唱誦、方便記憶的表達形式，然後由爺爺傳給爸爸、爸爸傳給兒子、兒子傳給孫子，一代一代傳唱下去。這就是最原始的詩歌傳唱方式，在任何部落都是一樣的。

就像腦容量的發展也是由少而多，音樂也是，從簡短易記的旋律，到後來才有更豐富多元的變化。總之，一切都是由短變長，由簡單變深奧。而在這樣的變化中，詩一直是最古老、同時又是最新、最重要的。儘管時代在變，人類創造出各種表達類型，有人寫政論、有人寫散文，但詩這種表達形式一直維持下來，這真是一個實在讓人不由得為之歎服的過程。

詩非常講究，而且，若未具備一定的學問，可能還看不出它的門道。在語言文字成長的過程裡，有極長的時間，詩人都扮演著首要的開發語言潛能的功能。他們在或長或短的詩文裡，要讓語言和心裡的想法、外在的事物與景象等緊密相連；這使得他們不得不殫精竭慮地錘鍊文字、創造意象，豐富字與字組合裡所能包含的信息容量；在豐富字義的同時，他們還必須豐富語言的聲音想像，讓無論興奮、感傷、高潔、孤獨……每一種情緒都找到可以歸屬的語言介面。因此，很多人都說，詩是文字的鍊金術。

詩在形式上很有力量，因為詩的本身很簡短扼要，必須用很簡練緊湊的文字來完整表達重要的訊息，並且能有效地將這些重要的訊息傳遞出去。此外，它還濃縮了很多人生道理與感性經驗在裡面，具有道德、價值和感情的內涵。這對現代人來說是最有經濟效益的；因為，詩可以用很短的篇幅來啟發很多想法。

為了方便記憶，詩一定得讓人能夠琅琅上口；而要能琅琅上口，就要有一定程度的旋律感、音韻感。所以，詩在早期是相當講究音樂性的，要有節奏和押韻；有了這兩者，詩就變得很優美了，而且容易記憶。另一方面，由於文字很簡略，在閱讀時，就很容易在腦海中跳出一個概略的有故事性的畫面，或者是帶出一連串的感情，這就是藝術和簡潔之間的共鳴。簡潔在形式上一定是美麗的，因為簡潔就是不帶雜質，和現實中充滿著雜七雜八的畫面非常不同。當我們以清新的文字來呈現時，雜質就全部過濾掉了，而呈現出很純淨的畫面或意象。

詩真是一個非常開闊的領域，它甚至談論人生的真理和虛假，並對此有清楚的辯論，就跟政論文章沒兩樣；只是，後者的文字空間大上許多，詩的文句則十分精練，對就是對、錯就是錯，完全一語中的、一針見血，因此才有這麼多金句產生。

詩在談論理想時，理想該如何實現那是以後的事；詩就只是談論理想，是很乾淨、純粹的。至於詩歌的美麗，那就更多了；詩是最美麗的文辭，簡短又講究形式、文采，也很講究用比喻、理喻、詭喻、借喻等各種方式。所以，從任何一種形式或主題的詩，都可以看出詩人的功力。

所以，我對詩人的評價也最高；因為，詩人對文字和意象的駕馭能力、微妙的表達能力，是比寫其他類型文章都需更加要求的。因此，很多人說，只有詩人是創造語言的人，只有詩人才能讓語言變得豐富；也因此，才能讓人對語文的感受和鑑賞能力更為提升。

詩人創造語言

詩人們開發出來的新語言和新意象，會蛻變為人們例行的語句、語法和語言的想像模式，成為常用的成語或諺語。

不論東西方都一樣，對文化的記憶貢獻最大的都是詩人。詩人所寫下的經典語句，後來就成為我們常用的成語，在西方則成為諺語。去翻閱成語辭典就能發現，有超過三分之一的成語來源都是詩。例如，曾經喧騰一時的「罄竹難書」，它的出處即是《舊唐書・卷五十三・李密傳》：「罄南山之竹，書罪未窮；決東海之波，流惡難盡。」這雖然是一篇散文，卻是相當詩歌化的寫法，都是五字、四字，對仗工整，是詩的筆法。又如常見到的「音容宛在」，便是出自白居易《長恨歌》裡的「一別音容兩渺茫」。

中國人在運用文字的敘述上，從《尚書》、《詩經》、《楚辭》到漢賦、唐詩、宋詞，乃至於元曲和後來的雜劇，基本上都是相當講究文字的對仗和押韻；即使是散文式的寫法，也多能發現有詩的敘述形式在其中。

而在西方的大傳統裡，從希伯來《聖經》、希臘史詩和戲劇，一直到但丁《神曲》、莎翁的詩和劇，以至於浪漫時代的詩，它們全都是韻文體。在很古老以前，英國是講拉丁文，正統的英文是從英國詩人鼻祖喬叟（Geoffrey

Chaucer）開始的。他把某地的英國方言變成英國的官方語言，此後歷經好幾次變革，才把英文的法定地位奠定下來。從此，便可以用英文表達很複雜的概念，可以寫論文也可以寫詩。

以喬叟為例，在他的詩裡就可以找到許多被發明的新語詞，而且匠心獨具。例如，中古歐洲有一種大十字弓，它用的弩箭為「長箭」（bolt），直長而漂亮；於是，喬叟就用「挺直若箭」（bolt upright）來形容一個高䠷漂亮的新婦。後來，經過聯想再加上用語的約定俗成，就成了「亭亭玉立」。

又如，蜜蜂飛進飛出，顯得很忙碌；因此，人們長久以來皆將蜜蜂視為大自然的規律代表之一；但喬叟卻首次用「忙若蜜蜂」（as busy as a bee）來形容一個婦人在人前人後假忙。雖然他用這個比喻有點諷刺性，但「忙若蜜蜂」終究流傳了下來，而不說忙得像蒼蠅或螞蟻。

此外，從古羅馬起，就有詩人說過「盲目的愛」，但喬叟是第一個說出

「愛情是盲目的」（love is blind）的英國詩人；「右耳進，左耳出」（in one ear and out the other）這個比喻，也是喬叟第一個使用，主要用以表示人的不用心、太過魯鈍。

從文藝復興時代開始一直到現代，西方人相信人生就是善、就是美，所以真善美是一體；並且，真善美的價值很具體地濃縮在詩裡面。當我們在談西方的詩時，就要把辭藻中的真善美價值放進去，然後試著用真善美的角度去探究詩人是如何寫詩的。提到真善美，則不能不提十九世紀初的浪漫主義大詩人濟慈（John Keats）；他雖然只活了二十六歲，但天縱英才，無論思想及文采皆領先群倫，所謂「真即美，美即真」就出自他的手筆。

以上這些由詩人所做的比喻，現在似乎已經是全球通用了。詩人們開發出來的新語言和新意象，便成為後人的集體資產和集體記憶；它沉澱在人們常用的成語裡，也蛻變為人們日常的語句、語法和語言的想像模式之中，甚至再形成人們日常生活的規範。

詩人奠定價值

詩人常寫詩來針對政治、社會規範和行為準則進行探討和建立；而詩人所倡導的價值被肯定後，就會變成當時社會所遵行的規範。

我特別喜歡讀英國詩，尤其是莎士比亞（William Shakespeare）的詩。有一位近代歷史文化的學者說，如果有一天天下大亂了，他被迫到一個無人小島去孤獨地生活，若只能選一本書閱讀，他一定選莎士比亞的書。由此可見莎士比亞的重要性。在古典時代，特別喜歡用詩來談論人生大道理、也談政治和社會現象；後來，又慢慢演變成用詩來談人的自由、民主和情感奔放，更用詩來高談自由戀愛。到了今日，詩能談的範圍已無所不包了。

近年來，台灣的人們常談說謊、貪汙、硬拗等話題；在西方，這樣的議題已經被討論至少有五百年之久了。西方社會常常透過詩來討論公共事物和做人的素質；從文藝復興時代開始直到理性啟蒙時代，這樣的例子實在太多了，每一位傑出的詩人和領袖都在關心這些問題，很多重要的價值都是透過詩句流傳而奠定下來。歐洲國家就是透過不斷地教育——教人讀詩和寫詩，把真善美的價值內化成紳士階級和中產階級的第二天性。

例如伊莉莎白一世，她就寫得一手頗具職業水準的好詩，並且利用寫詩來警惕自己政壇得意時不能自滿；而她所遴選的大臣，也一定要能當她道德上的朋友。我個人認為，就是因為伊莉莎白一世在位四十餘年，讓英國成為全歐洲最早建立道德價值觀的國家。西方人搞政治和台灣很不同，他們不太罵人、不說髒話、也不太打架；他們表達反對意見時可以態度很強硬，但語氣一定很委婉。這種比較良好的政治風格和氣氛，就是在伊莉莎白時期奠定下來的。

此外，詩人也討論法律被統治階級所利用的情形。如莎士比亞的喜劇之一《量罪記》（Measure for Measure，另譯《自作自受》、《以牙還牙》），描述一對戀人在婚前發生親密行為，因為觸犯了當地的法律，必須判處死刑。男生的姊姊為了手足之情，向攝政大臣求情；沒想到這位濫權的大臣竟告知解救其弟的唯一方法，是要她犧牲自己的處女貞操。一個弱女子在碰到這樣殘酷的問題時，該如何抉擇呢？全劇多在探討法律各種層面的問題——有錢有權的人，似乎就能讓法律站在他們這邊。

十六世紀，西方人對法律的不公感受極深；所以，他們開始以詩來對法律和官僚制度提出反省。英國文學史上最早的詩人之一錫德尼爵士（Sir Philp Sidney）就寫出這樣的名句：「有愈大權力去傷害別人的，卻愈不去傷害人，就愈會得到崇敬的讚美。」莎士比亞也寫道：「親愛的朋友，對自己的大權力要特別小心，最銳利的刀劍亂用之後將會失去它的鋒刃！」一直到十八世紀，法律平等便成為西方世界的主流價值。

此外，威亞特爵士（Sir Thomas Wyatt）乃是英國十四行詩的早期重要詩人，被認為是莎士比亞前的首要詩人。他除了抒情詩外，也寫了許多反省語言的作品，留下許多金句流傳至今，像是「語言廉價」（Words are cheap）、「語言不過一陣風」（Words are but wind）、「由空話到功業有好大一片空間」（From words to deeds is a great space）、「一堆話裝不滿一個斗」（Many words will not fill a bushel）等。他的這些話，每一句都可以送給台灣這些空話太多、但事情一件也沒做的政客官僚。

時代一直在變，生活型態一直增加，舊的制度已經框不住新增的內容了；所以，到了十八世紀末浪漫主義時期，知識發達了，新的中產階級出現了，大家希望獲得更大的自由，不希望情感被束縛住。而促進這些開放的，也是一些大詩人，如雪萊、拜倫、濟慈等。浪漫主義跟人道關懷是同時並進的，浪漫主義詩人有所謂的社會良心派，也就是替窮人發聲、討伐貪官汙吏；例如拜倫，他就把英國的王公貴族罵到臭頭。可見，在浪漫主義時期，詩人的開創性有多麼重要。

現代詩人用詩來關心的議題範圍就更加寬闊了。因為現代社會又創造出很多不同的新問題，如人際的疏離、弱勢的無聲、更大的世界和平、民主自由更加多元等，這些問題都必須透過更細膩的陳述才能夠表達出來，還要能讓人琅琅上口。

這些層面的詩人作品多得不得了；例如，從第二次世界大戰之前到之後的二、三十年，是全世界要求更公平正義的時代，德國詩人暨戲劇家布萊希特（Bertolt Brecht）在這段期間就為窮困貧民發言，反對剝削及不公不義的制度。總之，在任何一個新時代，詩人都自有他的重要扮演和影響力。

而在此刻的台灣，事務紛亂、是非倒錯，就讓人想到大詩人葉慈（W. B. Yeats）的詩句：「事物分崩離析，中道難守」（Things fall apart, the centre cannot hold.），單單這一句鏗鏘有力的句子，就可概括台灣的總體相。至於結果呢？二十世紀另一大詩人艾略特（T. S. Eliot）有詩曰：「這是世界終結的方式；不是砰的一聲，而是嗚咽一場。」

所以，如果一首詩所倡導的價值被肯定，那個價值就會變成當時社會所遵行的規範。從西方的詩裡，從精采的字裡行間，都可以看到這種針對政治、社會規範和準則的探討和建立，而這些精采的句子就成為金句。通常，一首詩是圍繞著一個主題，可能是十四行，也可能有二十行、五十行；有時，要背下整首詩是有點困難的，但一定有最精華的幾句金句，不妨就記下它吧！

詩人地位崇高

詩人創造語彙文法，為文化教養奠基，並擔任文學的前哨，敏銳地感應時代；在西方國家，是屬於非常有地位的「特權」階級。

在今日，西方的上流社會仍有很多寫詩和教詩的人。西方的貴族學校有教詩和寫詩的，大學的文學教授則會在社區開設詩歌欣賞班或詩歌寫作班。這些人當中，有人經英國政府提名、再由女王任命為桂冠詩人，是終身職，薪水由皇室支出。美國到今天為止，都還有一年一度的國會圖書館國家詩人，等於是美國的桂冠詩人，有相當崇高的地位。作為一位詩人，既可以在大學裡教書，國家每年也會提供很多獎勵，如普立茲獎等。

詩是語言、價值和未來的立法者，詩人創造語彙文法，為文化教養奠基，並擔任文學上的前哨，敏銳地感應時代；因此，我認為詩乃高度智慧的結晶，緊湊而濃縮，並超乎其他學問。艾略特以一首長詩《荒原》便總結一大半二十世紀的時代精神，可見要成為詩人是最難的；因此，西方國家有桂冠詩人，卻無桂冠小說家或戲劇家。可見，詩人在西方國家，是屬於非常有地位的「特權」階級。

法國大文豪雨果（Victor-Marie Hugo），一生創作了眾多詩歌、小說、劇本、散文、文藝評論和政論文章。在他六十歲時，全巴黎有六十萬人手持蠟蠋走過他家陽台和走廊向他致敬；他去世時，全巴黎人都為他送葬。這是詩人的最大榮耀，也可說是空前絕後了。

一開始，為了方便記憶，詩就發展出它本身的形式，有節奏性、有音韻感。詩歌的演化有其基本的規則。早期，有較明顯且龐大的文人與官僚階級，他們在經濟上較優渥，生活上較悠閒，不必終日操勞，就能慢慢地琢磨詩句；所以，當時的詩比較講究。隨著社會的變化，整個形式變得愈來愈鬆；以西方來說，從早期最規矩的十四行詩，到發展成包括兩行、跳行等各種形式。發展到最後，就發展成自由詩，不那麼講究形式了，而以意象取勝。

儘管西方詩看起來愈來愈白話、愈不講究，可是，為秉持詩的傳統，詩人還是會自我要求。若只能寫白話詩，功力是較不受肯定的，所以每個大詩人都會去挑戰能表現功夫底子的詩，也就是講究遣詞用字及形式的規矩。無論如何，大詩人的詩作一定不馬虎。

目前全世界最知名的詩人之一，是愛爾蘭籍的西默斯・希尼（Seamus Heaney），榮獲一九九五年諾貝爾文學獎，他寫了很多比較自由的詩。他認為，身為一名詩人，總是被詩的大傳統壓著而不得不寫出能彰顯功力的詩；所以，他花了很多時間，把早期的英國史詩全部重寫一次，也就是將古英文以新英文重譯一次，表示他的學問是夠深厚的。除此之外，他還寫了很多標準形式的十四行詩，談他與妻子之間的情感，談對世界上各種文化、社會和歷史層面的深刻觀察及看法。

許多偉大的人物也寫詩，教人嘆為觀止。例如美國前總統卡特，他一共出了兩本詩集；他是一位素人詩人，所以詩作很容易閱讀。我個人很喜歡卡特的詩，他很能體會老百姓的感受，特別是一個老年退休男子的心情。他用詩來表現他對詩的愛好，以及如何讓自己和妻子之間的感情更為細膩美好；雖然講的都是這些婆婆媽媽的事，但情感至為深刻真摯。

已故教宗若望保祿二世也是一位外行但具職業水準的詩人，至少出了兩本詩集，很多詩都相當精彩，探討許多基本的神學和道德問題。身為一位宗教領袖，他勉勵世人要像一片大樹葉一樣，把自己長得很大，下大雨的時候便可以裝很多水——生命的能量夠大的時候，就能夠涵育更豐富的事物。

再回頭來談談中國詩的發展。中國詩一般是五言、七言、絕句、律詩等形式。到了清末民初，有學人到英國、美國留學，認識了外國詩；但因為英文程度有限，對西方的文化傳統的認識也有限，就以自己的方式將西方詩理解成白話詩，回過來模仿其風格寫出自己的白話詩。這樣的詩雖有意境，但似乎誤解了英文詩，以至於認為現代詩是可以馬馬虎虎隨便寫的，而不講究音韻感及節奏感。

經過這麼長的時間了，我認為我們應該改變這種美麗的錯誤，讓新詩恢復一點原貌——有韻有步、抑揚頓挫，產生讓人容易朗誦、背誦的句子。在寫現代詩時，若能多一點音韻上的經營、多一點押韻上的講究，讓詩的音韻性能夠表現出來，好歹也能寫出幾個金句出來吧！

從鄭成功帶著他的國師沈光文到台灣以後，台灣人就一直在讀詩和寫詩。早期的台灣文壇，詩是主流，各種流派、詩刊都很盛行；而台灣重要的大家族如板橋林家和霧峰林家，他們的家族成員都能寫詩，板橋林家的林少梅就是我個人認為寫詩的一等好手。日治時期去世的知名文人洪棄生，也是以樂府形式撰寫了很多與台灣相關的詩文。客家族群也有很多人寫了很不錯的客家詩，乃至後來投入新文學的人，如吳濁流、賴和等，都能寫一手很不錯的漢詩。

從清朝到日治時代，台灣還出現很多「竹枝詞」。這種文體形式上是七言體的韻文，內容則以歌詠台灣的地方風光與習俗為主。日治時代，賴和、吳德功等均曾創作竹枝詞；從他們的詩中，可以看到台灣特有的風土人情，如大拜拜、殺豬公、地方角頭勢力等，非常有趣，其實相當適合教小朋友閱讀。除此之外，台灣早期也出了幾位藝伎型的女詩人，她們不但會交際應酬，還會樂器、畫畫和做詩，程度也都相當不錯。

我個人較偏好西方詩，因為它比較全方位，能用詩來談公共事務、談哲學、政治和革命，也談風土和感情；這種全方位的寬闊領域，能讓人被詩所改變。我最喜歡羅馬時代詩人的寫法，尤其是文藝復興時期的法國作家蒙田（Michel de Montaigne）的散文式寫法。那個時代的人喜歡寫文章說理，所以也比較偏於論文形式；但即使是說理，也要情理並重，在論理中講究文采，抒情中又闡述道理。所以，蒙田寫文章時特別喜歡放進詩；如此一來，不但能把理說得清楚，感性也並未因此荒廢。

台灣目前的大部分文章都太兩極化，寫論說文的時候就是很嚴肅、呆板，讀起來乾癟癟的，寫抒情文的時候又太濫情；所以，我自己寫文章時，喜歡帶一點詩進去，讓文章既有知識的傳達，又有美感的表現。這種文體的源頭，就是蒙田及羅馬時代的很多散文家。

高科技，高感性

愈是在高科技的現代，反而愈需要感性的經驗；而要增加感覺的細膩程度，只有透過詩才能辦到。

在這個時代，人與人接觸十分頻繁，卻多是點到為止，很難跟別人發展出惺惺相惜的關係或維持長期的互動；尤其年輕人，人人隨身都有手機，要找人聊天不成問題，溝通彷彿即時無礙，卻不能彼此真正理解。這是因為，他們沒有機會透過真正的互動和衝突來成長。所以，年輕人能夠拿著手機整天跟死黨們談天說地，卻不能與死黨以外的人進行溝通，甚至連跟爸媽、兄弟姊妹的互動都很少。

一個人的成長，是從小透過與別人互動而產生快樂、衝突、嫉妒、憤怒等情緒，再透過這些經驗而學會表達和反應。當一個人在社會琢磨久了，他的社會化過程很完整，就能知道如何處理自己的憤怒和嫉妒等情緒了。

但是，現代人已經不太碰觸這些學習，才會一發現愛人外遇、被劈腿了，就狠心殺害或者毀容……會有這些殘忍手段，正是因為我們不會處理自己的感情。我們總是愛得死去活來，也恨得死去活來，成為一個完整社會人的可能性愈來愈低了。

社會的發展是不可能回頭的，隨著科技愈來愈發達，我們不可能再回到三十年代或四十年代，那種全村子或整條街的人都彼此熟稔甚至很親密的社會型態——人與人之間交往密切，自然能學得許多人情世故。但是，現在人跟人的接觸時間愈來愈短、愈來愈表面，感性經驗不足，很多人不懂得如何處理人際關係，容易受傷，這也是為何愈來愈多草莓族的原因。

現在不是很流行一句「High tech, High touch」嗎？台灣譯為「高科技，高感性」，意指愈是在高科技的現代，愈需要感性的經驗。因為科技發達與生活型態的改變，人的時間變得愈來愈零碎，人與人的關係也愈來愈疏離。在這樣的高科技時代，人的感覺能力也要相對提高才行；只要對方一個眼神、一個動作，就能瞭解他的意思，而不是非要對方拍桌子大罵了，我們才知道出了什麼事。而要增加感覺的細膩程度，唯有透過閱讀，尤其是讀詩才辦得到。

近年來又新興一種行業叫「詩的推廣家」。十多年前，美國最有名的企業組織「商業圓桌會議組織」（Business Roundtable），加入這組織的會員都是全美國或全世界前百大企業的老闆或執行長；這些大老闆們聚會時，經常邀請詩人或詩的推廣家來演講；除此之外，很多大企業在進行高階員工訓練或講習時，也會請詩人到場演講。

也許很多人認為，詩在現代似乎沒有什麼特別的用處，於是對詩愈來愈冷漠；但是，走在時代尖端的人反而更重視詩，這也是企業界更積極推動詩的緣故。因此，從時代的趨勢來看，從更整體的角度來看，詩確實是有大用處，我稱讀詩為「無用中的大用」。

壞的音樂家一堆，壞的畫家也不少，例如，希特勒以及其他納粹軍官們都是古典音樂的愛好者，而希特勒也到處去搶別人的畫作，但在近代歷史上，壞的詩人並沒幾個；因為，文字文明的訊息含量比較大，利用文字來談道德、價值的時間比較長，所以文字的價值比較清楚。因此，我要說：「讀詩的小孩不會變壞。」而音樂和繪畫是純粹形式上的，其道德含量未必在形式中能被看見。

英國詩人威廉．布萊克的著名作品：「一沙一世界，一花一天堂。手中掌握無限，剎那即是永恆。」透過詩人或讀詩者的眼睛，我們真的可能從很細微的事物中窺見很多深奧的道理，可以從很剎那的事件中，看見長遠終極的道德標準及美學標準等。換句話說，詩人從沙裡觀望世界，而我們可從他們的凝練裡求取啟發。

因為喜歡詩，詩讓我的感覺更為細膩些。我們有時會說某個人「神經大條」，那是因為我們都不太注重詩。在學校，老師也不太教詩；即使教了，也未能把詩的深層意義闡述出來。

一位詩人在寫詩時，一定有很深刻的情感或思考，才會用那樣的比喻和表達方式，很多寫法都是有來源和典故的。說白了，我們今天學校裡的講詩，都只是做文字的轉譯和重新解釋的工作而已，或者是意象的傳真，並不去探討詩人為何用了某個字，用那個字的聲音和畫面效果是什麼就更無法談論了。

事實上，要講解一首詩是很複雜的，但我們這個社會對詩好像比較沒有好奇心。我認為，在今日社會中，要增加我們的感性能力，就要鼓勵大家多讀詩、多認識詩的內容和形式；如此一來，整個社會的心靈沉澱工夫會好上很多。

今日若要讓台灣的孩子增加一點讀詩的樂趣，最好從幼稚園開始就教孩子讀童謠——詩對這年紀的孩子太難了；到了小學，再接觸簡單的詩，如李白的「靜夜思」：「床前明月光，疑是地上霜；舉頭望明月，低頭思故鄉。」如此循序漸進，培養孩子對詩的感受。

若孩子要學英文，不要讓他們學補習班那種應付考試的英文。英美國家的孩子學英文，也是從爸媽、親友或其他人那兒學習童謠開始的，就像我們的孩子從「城門城門雞蛋糕」學起一般。學語言，就要從生活中自然的語言環境學習。

所以，孩子要學英文，就讓他們學習英文的童謠。童謠是另一種形式的詩歌，意思或許無厘頭，但有兒童能體會的幽默感，而且想像力豐富；為了讓孩子增加對聲音的敏感度，所以很講究音韻。因此，就讓孩子從充滿悅耳聲音、節奏輕快、押韻清楚的英文童謠開始，培養學習英文的樂趣吧！

法國當代人類學家李維・史陀（Claude Levi-Strauss）說過：「藝術與詩，是二十世紀想像的國家公園。」我認為，寫文章或從事創意工作的人，應該讓我們的孩子多讀一點詩，讓他們領略古人寫文章的方式和情懷吧！

（本文為演講整理）

國家圖書館出版品預行編目資料

心服．幸福／陳怡安等主講.-- 初版. --
臺北市：慈濟傳播人文志業基金會，
2009.12 / 216面；公分. --（心視界；6）
ISBN 978-986-6644-44-3（平裝）
1.言論集

078　　98023734

心服．幸福

創辦者	釋證嚴
發行者	王端正
策　畫	財團法人泰山文化基金會
主　講	陳怡安、饒夢霞、陳國鎮、黃崑巖 魏渭堂、吳娟瑜、南方朔
出版者	慈濟傳播人文志業基金會 11259臺北市北投區立德路2號
客服專線	02-28989898
傳真專線	02-28989993
郵政劃撥	19924552　經典雜誌
文字整編	林美琪
責任編輯	賴志銘、高琦懿
美術設計	尚璟設計整合行銷有限公司
印製者	禹利電子分色有限公司
經銷商	聯合發行股份有限公司 新北市新店區寶橋路235巷6弄6號2樓
電　話	02-29178022
傳　真	02-29156275
出版日	2009年12月初版1刷 2013年12月初版5刷
建議售價	200元